D1003163

Cómo
ahorrar
sin perder
la cabeza

A Miriam Polito,
por apoyarme, animarme
y creer en mí.

—A. G.

Cómo
ahorrar
sin perder
la cabeza
Ana Galán
Más de 100 ideas para economizar en todas
las áreas de tu vida
everest
INTERNACIONAL

Título: Cómo ahorrar sin perder la cabeza
Subtítulo: Más de 100 ideas para economizar en todas las áreas de tu vida
Autora: Ana Galán
Ilustraciones: Gloria García Jiménez

Dirección editorial: Raquel López Varela
Coordinación editorial: Ángeles Llamazares Álvarez
Diseño y maquetación: Gloria García Jiménez

ISBN: 978-607-449-022-0
Depósito Legal: LE: 381-2009

Printed in Spain - Impreso en España
EDITORIAL EVERGRÁFICAS, S. L.
Carretera León - La Coruña, km 5
LEÓN (ESPAÑA)

www.everest.es
Atención al cliente: 902 123 400

Nota importante:
Toda la información contenida en el libro se basa en la experiencia de la autora y expresa su punto de vista; ha sido elaborada aplicando sus conocimientos y comprobada con sumo cuidado.
La autora y la editorial declinan cualquier tipo de responsabilidad que pudiera derivarse de los comentarios, opiniones, recomendaciones o exposición general de esta obra, así como de la aplicación, interpretación o de otra clase que pudiera desprenderse de su lectura.

Cómo ahorrar sin perder la cabeza

• CONTENIDO •

Introducción

¿Qué harías si tuvieras dinero ahorrado y pudieras gastártelo en lo que quisieras? ¿Irías de viaje? ¿Te comprarías un modelito nuevo? ¿Lo ahorrarías para la universidad de tus hijos? ¿Irías a un *spa* a darte un buen masaje? ¿Organizarías una fiesta por todo lo alto?

Si sigues los consejos de este libro y te propones ahorrar todos los meses, puedes conseguir eso y mucho más, sin necesidad de perder la cabeza en el intento.

Ahorrar suena a sacrificio, a alcancía de cerdito, a actividad aburrida, a objetivo inalcanzable. Pero no tiene por qué ser así. Hay muchas maneras de ahorrar que no suponen ningún esfuerzo y pueden ser divertidas o incluso buenas para tu salud, como hacer tus propios regalos, invitar a amigos a comer a tu casa, cambiar el auto por la bicicleta, etc. Busca los consejos de este libro que se ajusten más a tu estilo de vida. Te aseguro que los encontrarás. ¡Hay más de cien! Puedes seguir unos cuantos, todos o incluso anotar tus propias ideas en las últimas páginas.

Empieza hoy mismo

Lo primero que tienes que hacer para empezar a ahorrar es ponerte un objetivo y determinar los pasos que debes seguir para alcanzarlo. Pregúntate a ti misma:

“¿Qué quiero hacer con el dinero que voy a ahorrar?”

“¿Cuánto dinero tengo que ahorrar para conseguirlo? ¿A la semana?
¿Al mes? ¿Al año?”

Te recomiendo que al principio te fijes metas fáciles de alcanzar. Cuando las hayas conseguido, te demostrarás a ti misma que eres capaz de hacerlo, lo que te animará a ponerte otros objetivos más ambiciosos.

Una vez que tengas la respuesta a estas dos preguntas, habrás establecido tu plan de ataque y estarás lista para empezar.

No te dejes asustar por la subida de los precios, ni lo que cuesta llenar el auto de gasolina, ni la fortuna que supone la universidad de tus hijos, ni lo que suben los impuestos todos los años. Eso es así y no va a cambiar. Bueno, en realidad tienes una solución: si quieres vivir sin depender del dinero, siempre puedes llevar una vida de ermitaña y buscar una cueva en medio del bosque. Pero si ese estilo de vida, tan en contacto con la naturaleza, no es lo tuyo, lo mejor que puedes hacer es dejar de lamentarte y ponerte en acción.

¡Adelante y mucha suerte!

Ahorra Energía

Apaga el aire acondicionado y usa un ventilador

Con un ventilador, no sólo ahorrarás energía y ayudarás a cuidar el planeta, sino que también te vendrá muy bien para la piel. El aire acondicionado reseca muchísimo la piel.

La solución más antigua para combatir el calor es el abanico. Si viviéramos en la época de los antiguos egipcios, nos abanicaría un ejército de esclavos con esos grandes abanicos de plumas que además de refrescar, aunque no suene muy glamuroso, también servían para apartar las moscas. Pero evidentemente no estamos en la época de los antiguos egipcios. Y me temo que si queremos abanicarnos, tendremos que hacerlo nosotras mismas... ¡Menos mal que ahora hay ventiladores!

Hay muchos tipos de ventiladores: de pie, de techo y de ventana.

Los ventiladores de techo, además de prácticos, pueden ser muy decorativos. Acuérdate de esas películas románticas como *Memorias de África*, en las que salen vestidos con sus trajes de manga larga y no parece que pasen demasiado calor. ¡Seguro que era por los ventiladores de techo! Bromas aparte, los ventiladores de techo pueden ayudarte a ahorrar más de un 10% de la factura de la electricidad. ¡Y no sólo en verano! En invierno, si enciendes el ventilador de techo en dirección contraria a las agujas del reloj, harás que el aire circule: el aire caliente que se acumula en el techo baja y el aire frío sube, lo que ayuda a calentar mejor la casa.

Dato curioso

Un ventilador de techo usa la misma energía al día que un foco de 100 vatios.

¡Apaga la luz!

Si no vas a estar en una habitación, ¿para qué vas a dejar la luz encendida?, ¿para que los mosquitos y las polillas vean mejor?

Acostúmbrate a apagar la luz cuando salgas de un cuarto y a no tener encendidas las luces que no necesitas. Eso sí, no hagas como aquel hombre tan desconfiado, tan desconfiado que le quitó el foco al refrigerador ¡porque no creía que se apagaba al cerrarlo!

Chistes

Un niño le dice a su mamá:
—Mamá, los mosquitos me están picando sin parar.
—Anda, hijo —contesta su madre—, apaga la luz y duérmete.
El chico apaga la luz y en su habitación entra una luciérnaga. El niño vuelve a gritar:
—¡Mamá! ¡Ahora han venido a buscarme con linterna!

Una amiga le dice a otra:
—Ayer mi novio me hizo una proposición deshonesta y le dije que no quería volver a verlo.
—¿Y qué pasó?
—Apagó la luz.

Utiliza focos de bajo consumo

Yo no sé tú, pero en mi casa, da la impresión de que los focos se funden cada dos por tres.

Normalmente tienes que cambiar un foco incandescente de 100 vatios unas tres veces al año o más. No sólo eso, sino que además dan calor y consumen mucha energía.

Los focos fluorescentes duran más de dos años y consumen hasta 35% menos de energía.

¡Haz la prueba! Hay muchos tipos de focos fluorescentes disponibles en el mercado que dan una luz muy agradable. No es como hace unos años, que sólo había tubos fluorescentes, como los que se ponían en las consultas de médicos y hospitales, que daban una luz temblorosa y un tanto agobiante.

Hay lugares en la casa en los que no necesitas una luz especialmente brillante, como por ejemplo el sótano, el trastero, debajo de las escaleras, la luz del farol de la entrada de tu casa, etc. En esos lugares puedes utilizar focos fluorescentes de 32 vatios.

Pero ¿cuánto se ahorra? Por ejemplo, si cambias la luz de entrada de tu casa, que en muchos casos se deja encendida desde que anochece hasta la mañana siguiente, y pones una fluorescente de 32 vatios, en lugar de una normal de 100 vatios, puedes ahorrar unos $26 al año. Es verdad que con sólo cambiar un foco no se ahorra mucho dinero, pero si cambias diez, la cifra ya cambia. Recuerda: todo suma.

Dato interesante

Según *Energy Star*, si cada persona de EEUU cambiara un foco normal por uno fluorescente, se podría ahorrar la suficiente energía como para iluminar más de 3 millones de hogares al año.

Apaga la televisión y la pantalla de la computadora cuando no estén en uso

La impresora, el monitor de la computadora, la cafetera eléctrica y todos aquellos aparatos eléctricos que tienen algún tipo de luz, consumen electricidad aun cuando no se estén usando, por el solo hecho de estar conectados.

Pero ¿cuánta energía? ¿Y cuánto se ahorra?

Si te gustan las matemáticas, aquí tienes un ejercicio para entretenerte. ¡Puedes usar la calculadora!

Para calcular lo que consume un aparato eléctrico, multiplica el voltaje por el número de horas que está encendido, después divídelo por 1000 y tendrás los kilovatios por hora (kph).

Voltaje x Horas ÷ 1 000 = Consumo diario de kilovatios por hora

Por ejemplo, si dejas la pantalla de la computadora de 70 vatios encendida durante 56 horas a la semana (8 horas cada noche), consume 3.92 kph. Si el precio de cada kph es de $0.85, estás pagando (a lo tonto) $13.33 al mes.

70 w x 56 h ÷ 1 000
= **3.92 kph**
3.92 kph x $0.85
= **$3.33 a la semana**
$3.33 x 4 semanas
= **$13.33 al mes**

Desenchufa los transformadores y cargadores

Aunque parezca mentira, los transformadores y cargadores consumen energía continuamente. Si están enchufados a la pared, aunque en el otro extremo no haya nada, están consumiendo energía.

La próxima vez que termines de cargar la batería de tu teléfono celular o de tu aparato de música mp3, no te olvides de desenchufar el cargador de la pared.

Regula la temperatura del termostato

Observa cómo van vestidas las personas que viven en tu casa. Si en pleno invierno, cuando en la calle hace un frío que cala, ves que en tu casa llevan camisetas de manga corta y pantalones cortos, está claro que tienes que bajar la calefacción.

Si en verano, cuando el calor parece que va a derretir el asfalto, ves que en tu casa llevan suéter, eso significa que tienes el aire acondicionado demasiado alto o que quieres empezar un negocio de cría de pingüinos.

Los termostatos modernos se pueden programar para que cambien la temperatura a ciertas horas del día. Por ejemplo, puedes bajar la calefacción o el aire acondicionado por la noche o cuando no haya nadie en tu casa.

Cuando salgas de viaje, nunca te olvides de apagar el aire acondicionado o dejar la calefacción al mínimo (pero no la apagues del todo porque se pueden congelar las cañerías del agua y reventar). Sólo se tarda unos minutos en calentar o enfriar de nuevo una casa.

Chiste

Un bombillo en una fiesta le dice a otro:
—Te noto como apagado.
Y el otro responde:
—No, es que estoy fundido.

Aísla bien tu casa

¡No dejes que la calefacción o el aire acondicionado se escape por las ventanas! Revisa todas las ventanas y puertas de tu casa y comprueba que cierren bien. **Más del 30% del calor de una casa entra por las ventanas.**

Las cortinas, persianas y contraventanas te pueden ayudar a conservar energía. En verano, ciérralas para que no entre calor. En invierno, ábrelas durante los días soleados y ciérralas por la noche.

Acuérdate que el aire frío se queda abajo y el aire caliente, arriba. Si por ejemplo, tienes puesto el aire acondicionado y dejas abierta la puerta del sótano, el aire frío va a bajar, lo que hará que gastes más energía en enfriar la casa.

Las puertas que tienen un hueco muy grande por debajo, entre la puerta y el suelo, dejan pasar el aire y no aíslan bien. **Venden unos tubos de tela rellenos de arena, que suelen estar decorados y ser muy lindos, para poner en la parte de debajo de las puertas y tapar el hueco. Son muy prácticos, sobre todo en los meses de invierno.**

Haz un mantenimiento anual

Si vives en una zona donde las estaciones cambian, ya sabes que vas a tener meses de calor agobiante y meses de un frío espantoso. No debería tomarte por sorpresa la ola de calor ni la gran helada. Así que antes de que ocurra, ¡prepárate!

Llama al técnico para que revise la caldera o el aire acondicionado una vez al año, antes de que empiece el invierno o el verano. Ya sabes que si esperas, el día que tengas un problema o se presenten condiciones meteorológicas extremas, seguramente coincidirá con el día en que todos tus vecinos tienen el mismo problema y te va a resultar mucho más caro que vaya el técnico, si es que consigues que vaya...

No dejes el agua correr mientras te lavas los dientes

La costumbre de dejar correr el agua mientras uno tiene el cepillo de dientes en la boca es de lo más practicada, pero si lo piensas bien, realmente no tiene ningún sentido. ¿Es que acaso los dientes quedan más limpios cuando se oye el ruido del agua de fondo? Te sorprendería saber cuánta agua podrías ahorrar al año con sólo cerrar el grifo:

Por un grifo normal suelen salir unos nueve litros de agua al minuto. Si te lavas los dientes durante un minuto, dos veces al día y dejas el agua correr, utilizas aproximadamente 18 litros de agua al día.

Cuando multiplicas esa cantidad por 365 días, ¡estás gastando 6 570 litros de agua al año!

Los hombres también suelen dejar el agua correr mientras se afeitan. Otro hábito que debería ser bastante fácil de cambiar.

Cambia la tina por la regadera

Por lo general, la gente suele usar menos agua en la regadera que en la tina, pero claro, todo depende de cada persona.

Las regaderas antiguas consumían mucha más agua que las modernas.

Ahora casi todas las regaderas modernas tienen una válvula que hace que salga menos agua, sin necesidad de que salga a menos presión.

Ya sé que no es lo mismo un baño de espuma con sales aromáticas que una ducha rápida. Pero puedes mejorar tus duchas poniendo música en el baño o con una de esas regaderas que dan masajes.

Compra electrodomésticos que no consuman mucha energía

Antes de lanzarte a comprar un electrodoméstico nuevo, merece la pena hacer la tarea y estudiar las diferentes opciones.

Muchas veces el electrodoméstico más barato termina siendo mucho más caro en gasto de energía y reparaciones.

En EEUU, la FTC *(Federal Trade Comisión)* obliga a los fabricantes a poner una etiqueta que indique cuánto consume cada electrodoméstico (excepto las cocinas y los hornos). Es una etiqueta negra y amarilla que indica la cantidad de energía que consume cada electrodoméstico y cómo se compara este consumo con el de otras marcas y modelos.

Busca electrodomésticos que lleven el sello de Energy Star. Energy Star es un programa gubernamental que proporciona información al público para ayudar a ahorrar energía y conservar el medio ambiente. Los electrodomésticos que llevan el sello de aprobación de Energy Star han pasado sus exigentes requisitos, son mucho más eficientes a la hora de gastar energía y su efecto no es tan perjudicial en el medio ambiente.

Pon la lavadora cuando esté llena

¡Ojo! ¡Esto no quiere decir que debes abarrotar la lavadora hasta arriba! Si hicieras eso, la ropa no quedaría limpia. En general, se gasta menos energía al poner una lavadora llena que dos en el ciclo de poca ropa.

La lavadora donde gasta más energía es en calentar el agua. Siempre que puedas, utiliza el ciclo de lavado y enjuagado con agua fría. No sólo ahorrarás energía sino que además se te estropeará menos la ropa y evitarás problemas de desteñidos y ropa que ha encogido. Si tu lavadora no tiene ciclo de agua fría, utiliza agua templada.

Muchas lavadoras tienen filtros. Límpialos por los menos una vez cada seis meses para alargar la vida de tu lavadora.

Usa menos la secadora

En los meses de verano, cuelga la ropa para que se seque al sol. ¡Queda mucho más blanca! Claro, que no todo el mundo tiene sitio para tender la ropa al sol y a veces es muy práctico usar la secadora. Hay maneras de sacar mucho más provecho a tu secadora y gastar menos energía. Procura poner en la secadora ropa del mismo tipo. Por ejemplo, la ropa de deporte que suele estar hecha de fibras sintéticas, tipo poliéster, tarda mucho menos en secarse que las toallas o sábanas de algodón.

Llena la secadora pero no al límite, si pones demasiada ropa el aire no circulará y tardará más en secarse. No olvides limpiar el filtro de la secadora después de cada ciclo. Es más, cada seis meses, deberías limpiar el filtro con un cepillo suave. Las toallitas de suavizante que se ponen en la secadora suelen dejar una fina lámina que puede bloquear el filtro. Aunque quites las pelusas del filtro, esa lámina sólo se quita al lavarla con un cepillo, agua y jabón.

Algunas secadoras tienen un ciclo de parado automático que suele ahorrar energía y evita sobrecalentar la ropa.

Para ahorrar energía elige siempre los tiempos de secado adecuados a cada tipo de ropa.

Llena el lavaplatos

El lavaplatos es otro de los grandes inventos del siglo pasado. Gracias al lavaplatos no nos tenemos que estropear las manos con esos jabones tan fuertes y el agua caliente.

¿Cómo es que no sabemos los nombres de la gente que ha inventado aparatos tan importantes como este y sin embargo sí sabemos, por ejemplo, quién inventó la imprenta? (Por si se te ha olvidado, fue Gutenberg).

Antes de poner los platos en el lavaplatos, límpialos un poco para que no estén llenos de restos de comida. Esto hará que puedas usar un ciclo de lavado que dure menos y que el filtro no se atasque.

Dato útil

Nunca pongas los cubiertos de plata o bañados en plata junto con los de acero inoxidable en el lavaplatos ya que se puede producir una reacción y estropear la plata. Si los pones en el mismo lavaplatos, asegúrate de que no se toquen.

Cierra el refrigerador

¿Cuántas veces has abierto la puerta del refrigerador y te has quedado mirando lo que había dentro a ver si encontrabas algo rico para comer? Como a primera vista no ves ningún capricho que se te antoje, vuelves a lo que estabas haciendo, pero al cabo de una hora, ahí estás otra vez, frente al refrigerador abierto, buscando de nuevo por si se te hubiera pasado algo.

Dudo que alguien haya hecho un estudio científico sobre este comportamiento, pero yo casi me atrevería a decir que es una costumbre que afecta a personas de todas las edades y de cualquier sexo. Eso sí, los que más practican el deporte de "ataque al refri" cada media hora son los adolescentes y además muchos de ellos tienen la gran suerte de poder comer a todas horas y no engordar ni un gramo.

El abrir y cerrar continuamente el refrigerador, además de ser perjudicial para tu línea, hace que la nevera gaste más energía y que se estropeen los alimentos.

La arruga es bella: di adiós a la plancha

La plancha es una de las grandes consumidoras de energía: utiliza el equivalente a diez bombillos de 100 vatios.

En la época de mis abuelos, se planchaban hasta las toallas. Pero hoy en día ¿quién tiene tiempo y paciencia para planchar todas y cada una de las prendas que lavamos? Además, tenemos la gran suerte de que muchas marcas de ropa han puesto de moda llevar la ropa arrugada.

Si sacas la ropa de la secadora en cuanto termina el ciclo y la doblas bien o la cuelgas, queda prácticamente sin arrugas.

Hay sábanas y camisas de algodón 100% que no necesitan planchado. ¡Qué gran invento!

Si no te queda otro remedio y te tienes que poner a planchar, no te olvides de apagar la plancha si por ejemplo te llaman por teléfono o piensas que no la vas a usar durante un rato.

Truco casero

Si tienes que planchar una blusa pero no tienes tiempo, mete la blusa en el cuarto de baño mientras te duchas. El vapor del baño se encargará de quitar las arrugas.

Ahorra Gasolina

GASOLINA

IMPORTE

CANTIDAD

TOTAL

Cambia el auto por la bicicleta

Sin lugar a duda, la mejor manera de ahorrar gasolina es no usar el auto. Piensa en todas las veces en las que te has puesto al volante para recorrer distancias cortas que podías haber hecho a pie o en bicicleta.

Deja el auto en el garaje y muévete. Tu cuerpo te lo agradecerá.

No vayas sola en el auto

Aprovecha los viajes de tus amigos o tus compañeros de trabajo. Seguramente hay gente que vive por tu zona y trabaja cerca de donde tú trabajas. Proponles ir juntos en el auto y pagar la gasolina a medias.

Si llevas a tus hijos en auto al colegio, habla con otros padres y hagan turnos para llevarlos. No sólo ahorrarás gasolina, sino que los días que no te toque a ti, tendrás más tiempo para tus cosas.

Chistes

—Papá, papá.... Tengo una noticia buena
y una mala. ¿Cuál quieres oír primero?
—Dime la buena.
—A tu auto le funciona
perfectamente el airbag.

Un niño iba en el auto con su papá
y sacaba la cabeza por la ventanilla y decía:
—Mira, papá, una vaca.
—Mete la cabeza, hijo —decía su papá.
—Mira, papá, un tren.
—Mete la cabeza, hijo —repetía su papá.
—Mira, papá,
un baranbaranbaranbarandal.

Utiliza gasolina de MENOR octanaje

La gasolina que compramos para los autos puede ser de varios tipos, Regular (Magna) o Premium, dependiendo del octanaje que tenga. Según los informes de *Consumer Reports*, en EE UU, casi todos los autos están diseñados para funcionar perfectamente con gasolina Regular. El utilizar gasolina Premium cuando el fabricante no lo especifica lo único que hace es ayudarte a gastar dinero innecesariamente.

La diferencia entre gasolina Premium y Regular puede ser de entre 20 y 40 centavos, dependiendo del lugar donde vivas.

Vamos a calcular lo que te ahorras si usas gasolina Regular en vez de Premium. Si tu vida es parecida a la mía, tendrás una camioneta de siete pasajeros y te pasarás las tardes en el auto, haciendo encargos, llevando a tus hijos de un lado a otro, a casa de un amigo, al fútbol, al ballet… para qué te voy a contar. Esto te obliga a llenar el depósito por lo menos una vez a la semana.

En el depósito de mi auto caben unos 17 galones.

  17 galones
x $0.20 de ahorro

$3.4 de ahorro por depósito

  $3.4
x 52 semanas al año

$176.8 de ahorro

En muchas gasolineras también te dan la opción de que te pongan ellos la gasolina (Full service) o te la pongas tú mismo (Self) y pagues menos. Sal del auto y ponla tú. Ya sé que luego las manos te huelen fatal, pero si llevas en el auto un botecito de jabón de ese que no necesita agua, el olor ni se nota.

Mantén el auto en buen estado

las ruedas hinchadas

Lleva las ruedas bien hinchadas y gastarás menos.

El llevar el auto a revisión para que miren las bujías, cables, carburador, filtro del aire y cambien el aceite (es decir, todas esas cosas grasientas que manchan mucho) es fundamental para que funcione bien y, por lo tanto, consuma menos.

Aquí tienes información técnica que suena de lo más profesional: una rueda deshinchada dos libras por pulgada cuadrada aumenta el consumo de gasolina en un uno por ciento. En un lenguaje mucho más claro: lleva las ruedas bien hinchadas y gastarás menos. No cuesta prácticamente nada comprobar la presión del aire. Casi todas las estaciones de servicio tienen una de esas maquinitas de aire que hacen mucho ruido. Tengo que reconocer que siempre que he ido a hacerlo yo, ha llegado un alma caritativa que me veía con cara de "¿y esto cómo funciona?" y me ha ayudado. ¡Esas personas a las que les gusta echar una mano en cosas de mecánica son una verdadera bendición caída del cielo!

¡No corras!

Como decía mi abuela: "Despacito y buena letra".

El consumo de gasolina de un auto sube astronómicamente al ir por encima de los 96 km/h (60 mph). Según una gráfica de www.fueleconomy.org, por cada 8 km/h (5 mph) que subas de los 96 km/h gastas $0.26 más de gasolina por galón.

Es decir, que si conduces a velocidad moderada y lo más constante posible, ahorrarás no sólo en gasolina sino también en multas por exceso de velocidad.

Maneja con suavidad

No sé tú, pero a mí ya se me ha pasado la edad de esperar a que el semáforo se ponga verde, mientras que miras al conductor del auto de al lado con cara de desafío y empiezas a dar acelerones para incitarle a echar una carrera *BRUM BRUM BRUM...* De hecho, ahora que lo pienso ¡creo que nunca he estado en edad de hacer eso!

Si quieres que la gasolina te dure más, maneja con suavidad, sin dar grandes acelerones ni enfrenones.

Cuando veas a esos jovencitos que van echando carreras por la autopista, además de ofenderte porque ponen la vida de los demás en peligro, piensa que están gastando un 33% más de gasolina que tú.

Abre las ventanillas del auto

Cuando manejes por la ciudad, baja las ventanillas y apaga el aire acondicionado. La gasolina del auto te durará más.

Parece ser que cuando vas por autopista, apenas hay diferencia en el consumo de gasolina si usas el aire acondicionado o abres las ventanillas. Hablando de abrir las ventanillas...

¿Alguna vez has manejado en días en los que el viento te empuja el auto de un lado a otro? Para evitarlo, abre un poco las ventanillas de atrás y verás cómo vas mucho mejor.

Consejo útil

Lleva siempre en el auto un cuaderno y un lápiz.

Te sorprenderá la cantidad de veces que tienes que anotar cosas.

Utiliza el transporte público

A ver si te suena familiar esta situación:

Tienes una reunión importante en la ciudad, a lo mejor una entrevista de trabajo o un meeting de negocios (cuando se habla de negocios, por alguna razón extraña, mucha gente suele decir "meeting") o incluso una cita romántica. Decides que esta vez, en lugar de ir en autobús, vas a ir en auto, tranquilamente, oyendo tu música preferida y con el aire acondicionado a todo lo que da. Sales con tiempo suficiente, pero en cuanto sales te das cuenta de que el camión de la basura está bloqueando tu calle. "Tranquila —te dices—. Hay tiempo". Cuando por fin consigues pasar el camión y se ha ido el mal olor del auto, entras en la autopista, que suele ser el camino más rápido, pero te encuentras con un atasco de esos desesperantes. Sigues manteniendo la calma, puesto que habías salido con tiempo y estás disfrutando de tu música relajante. A dos por hora, pasas por delante de la causa del embotellamiento: dos autos que se habían chocado ¡en el otro

lado de la carretera! Te preguntas por qué si el accidente es en el otro lado, se tiene que atascar tu lado de la autopista y la gente se tiene que parar para verlo... ¡Serán morbosos! Bueno, por lo menos ya estás llegando. ¿Y ahora dónde vas a estacionar el auto? Das tres vueltas a la cuadra pero no encuentras ni un solo sitio en la calle, sólo salidas de emergencia, bombas de agua, paradas de autobús y señales de "que ni se te ocurra dejar aquí tu coche"... nada... ni un solo sitio. "Bueno —respiras hondo—, no pasa nada. Hoy es un día especial, lo meto en el estacionamiento". ¡Pero está lleno! Ya llegas diez minutos tarde. Te tiras de los pelos, el corazón te late a mil por hora y estás de un humor de perros. Das cuatro vueltas más, alejándote cada vez más del sitio, hasta que por fin encuentras un estacionamiento con plazas libres, a unas diez cuadras de donde tienes que ir y además cuesta una fortuna. ¡Y tú con zapatos de tacón alto! Sales del auto, corres todo lo que puedes con esos zapatitos infernales y el tirante del vestido que no hace más que caerse. Cuando llegas, media hora tarde, ya no te sientes nada especial.

Solución:

Usa el transporte público. Muchas veces resulta más rápido y, definitivamente, más barato.

Compra múltiples viajes de autobús o metro

Haz el cálculo. Mira las tarifas de los pasajes de metro y autobús y compara los precios. Normalmente los boletos de diez viajes salen más baratos que los individuales. El tren, metro y autobús también suelen ofrecer boletos mensuales que resultan mucho más económicos.

Los bonos de diez viajes suelen tener una validez de varios meses. Aunque no uses el transporte público con mucha frecuencia, te puedes comprar un boleto de diez viajes e ir usándolo a medida que lo necesites.

B

B

Chiste

¿Cómo se dice autobús en alemán?

Suban-empujen-estrujen-bajen

Ahorra en el Supermercado

Utiliza los cupones y busca las ofertas especiales de la semana

Todos los días nos inundan el buzón de correo con propaganda, catálogos, revistas, periódicos y facturas, sobre todo facturas. Si eres como yo, cuando recibes la montaña de papeles, la miras por encima, separas las facturas (por eso de que si las pagas tarde los intereses aumentan y tienes que pagar más), buscas con un halo de esperanza a ver si algún amigo o familiar te ha mandado una carta como en los viejos tiempos (y compruebas que no), y todo lo demás lo tiras a la basura sin pensarlo dos veces. Sí, sabes que había cupones, pero piensas que nunca son para los productos que tú compras y, además, cuando por fin guardas los cupones, se te olvidan en casa cuando vas al supermercado o, lo que es peor, cuando por fin los llevas, ya han caducado.

Invierte un poco de tiempo en mirar los cupones y te sorprenderá encontrar muchos de cosas que compras todas las semanas. Una vez que separes los que te interesan, ponlos en la cartera (espero que tengas una cartera muy grande) y así, cuando vayas a pagar, los tendrás siempre a mano.

También venden unas carpetitas especiales muy lindas para meter cupones, con secciones para que los puedas clasificar por categorías y los encuentres más fácilmente a la hora de pagar.

Busca las marcas propias del supermercado

Casi todos los supermercados tienen sus propias marcas de todo tipo de productos, desde papel higiénico hasta salsa de tomate. **Se suelen llamar "marcas libres" y siempre resultan mucho más baratas** que las marcas conocidas. ¿Quiere decir eso que son peores? ¡No! Las empresas que producen las marcas conocidas se gastan muchísimo dinero en campañas de mercadeo, anuncios de televisión, etc. Precisamente por eso son conocidas… Pero al final, todo ese dinero que invierten en publicidad lo tiene que pagar alguien… ¿y ese alguien quién es? Efectivamente: tú. Los supermercados, sin embargo, no suelen hacer campañas de publicidad para anunciar un solo producto en particular y pueden ofrecer sus marcas libres a precios más baratos.

Con esto no te sugiero que de pronto compres TODO de la marca del supermercado. A veces la marca que tú usas es mejor o te gusta más. Pero merece la pena intentar probar un producto de marca libre a la semana y descubrir que alguno está bien.

Compra artículos no perecederos en envases familiares o cantidades grandes

La parte más cara de un producto suele ser el envase. Si te fijas en los precios, no hay mucha diferencia entre una botella de champú pequeña y una más grande.

Los productos de papel (toallas de papel, servilletas, pañuelos, papel higiénico) y los productos de limpieza no se estropean con el tiempo. Siempre que puedas, cómpralos en grandes cantidades.

Hay productos de alimentación y bebidas que también duran mucho tiempo: legumbres, arroz, azúcar, latas de conservas, puré de papas, mayonesa, etc. y suelen ser más baratas cuando se compran por cantidad.

Claro que si tienes una casa pequeña ¿dónde vas a meter esos envases gigantescos y los veinte mil rollos de papel de cocina que estaban tan baratos? Aquí tienes una idea: compra a medias con una amiga. Hacer la compra con una amiga es muchísimo más entretenido.

Chiste

Dos hombres en el supermercado van con sus carritos buscando algo desesperadamente. Uno se choca con el otro y le dice:

—Perdone, es que estoy buscando a mi esposa.

—Qué casualidad, yo también. ¿Cómo es su esposa?

—Es rubia, alta, con los ojos azules… No está bien decirlo, pero es espectacular. ¿Y la suya?

—Olvídese de la mía, con esa descripción, vamos a buscar a la suya.

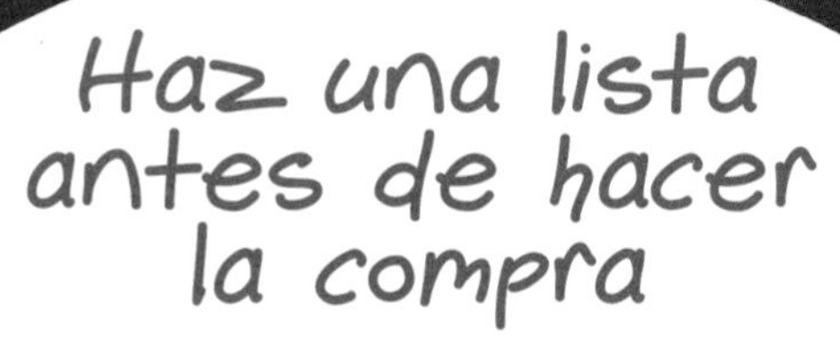

Haz una lista antes de hacer la compra

¿Alguna vez has ido al supermercado sin saber lo que tienes en casa y al volver te has dado cuenta de que ya tenías de algo que acabas de comprar y que se te olvidó comprar otras cosas que necesitabas? A mí me pasa siempre que se me olvida la lista de la compra en casa y termino haciendo otro viaje para conseguir lo que me falta.

Cuando haces una lista no sólo te obligas a mirar lo que necesitas, sino que también ves lo que compraste de más la semana anterior y tuviste que tirar a la basura porque se echó a perder… Un poco de planificación hará que ahorres tiempo y dinero.

¡Cuidado! ¡No vayas a la compra si estás muerta de hambre! Si lo haces, terminarás comprando un montón de caprichos innecesarios. (¿Hay algún capricho que sea necesario?)

Si eres superorganizada, puedes hacer los menús para toda la semana antes de ir al supermercado y así saber exactamente lo que tienes que comprar.

Pide la tarjeta de cliente del supermercado

Muchas ofertas de los supermercados sólo se ofrecen a los clientes que tienen la famosa tarjetita. Así que **si es gratis, ¡pídela!** No tienes nada que perder y mucho que ahorrar. El único inconveniente es que como cada vez más establecimientos ofrecen tarjetas de cliente, como el supermercado, el club de video, la farmacia, la tienda de productos de oficina, etc. o tienes una cartera muy grande o tienes que llevar un llavero repleto de tarjetitas de lo menos atractivas. Pero todo sea por el ahorro familiar…

Dato interesante

En los supermercados siempre ponen los productos más caros a la altura de los ojos. ¡No te dejes hipnotizar!

Menús más económicos

Dependiendo de dónde vivas y de la época del año, algunos productos alimenticios pueden ser más caros que otros.

Por lo general, ciertos cortes de carne roja y el pescado fresco suelen ser más caros que por ejemplo, el pollo. Sin embargo, para comer una carne sabrosa no hace falta comprar solomillo ni entrecot. El lomo y la falda bien adobados pueden quedar deliciosos.

Siempre resulta más económico comprar una pieza entera de carne, por ejemplo, un costillar, y cortarla en casa. Las chuletas que no vayas a usar esa semana las puedes congelar en paquetes de cuatro o cinco. ¡No olvides escribir la fecha y el contenido de cada paquete con un marcador permanente! También es más barato comprar un pollo entero que patas o pechugas por separado.

No compres frutas y verduras fuera de temporada. Son más caras y con mucha frecuencia, no tan sabrosas. Una vez el dueño de un restaurante italiano me dijo que echaba de menos aquellos años cuando esperaba con ilusión las primeras fresas de la temporada o las primeras cerezas. ¡Ah… qué tiempos aquellos, cuando todo sabía mucho mejor!

Pon un poco de creatividad en tus menús. Acuérdate que los frijoles, lentejas y garbanzos son muy baratos y una gran fuente de hierro y proteínas.

Truco casero
En lugar de usar cubitos de hielo, que se acaban derritiendo y aguando la bebida, utiliza uvas rojas congeladas. Queda más colorido y cuando se descongelan te las puedes comer.

Di "NO" a las bolsas de plástico y "SÍ" a las de tela

Las bolsas de plástico son tremendamente perjudiciales para el medio ambiente.

No sólo muchas de ellas están hechas a partir del petróleo, con lo que se aumenta la dependencia de este recurso natural caro y limitado, sino que además hacen que muchos animales mueran al ingerirlas y contaminan nuestras playas, océanos y montañas. ¿Quién no ha visto esas espantosas bolsas flotando en el mar?

He oído muchas veces que una bolsa de plástico tarda unos mil años en descomponerse en un vertedero. Entre tú y yo, no sé cómo han podido calcular eso de los mil años. Quién sabe. A lo mejor son 950 o 500, pero en cualquier caso, está claro que cuesta mucho deshacerse de ellas.

¿La solución? Utiliza bolsas de tela y úsalas una y otra vez, cada vez que hagas la compra. Algunos supermercados ya han empezado a cobrar por dar bolsas de plástico y otros te descuentan algo de dinero por cada bolsa de tela que lleves.

Dato interesante

En China están prohibidas las bolsas de plástico gratis. Muchos países están tomando medidas para limitar el uso de las bolsas de plástico.

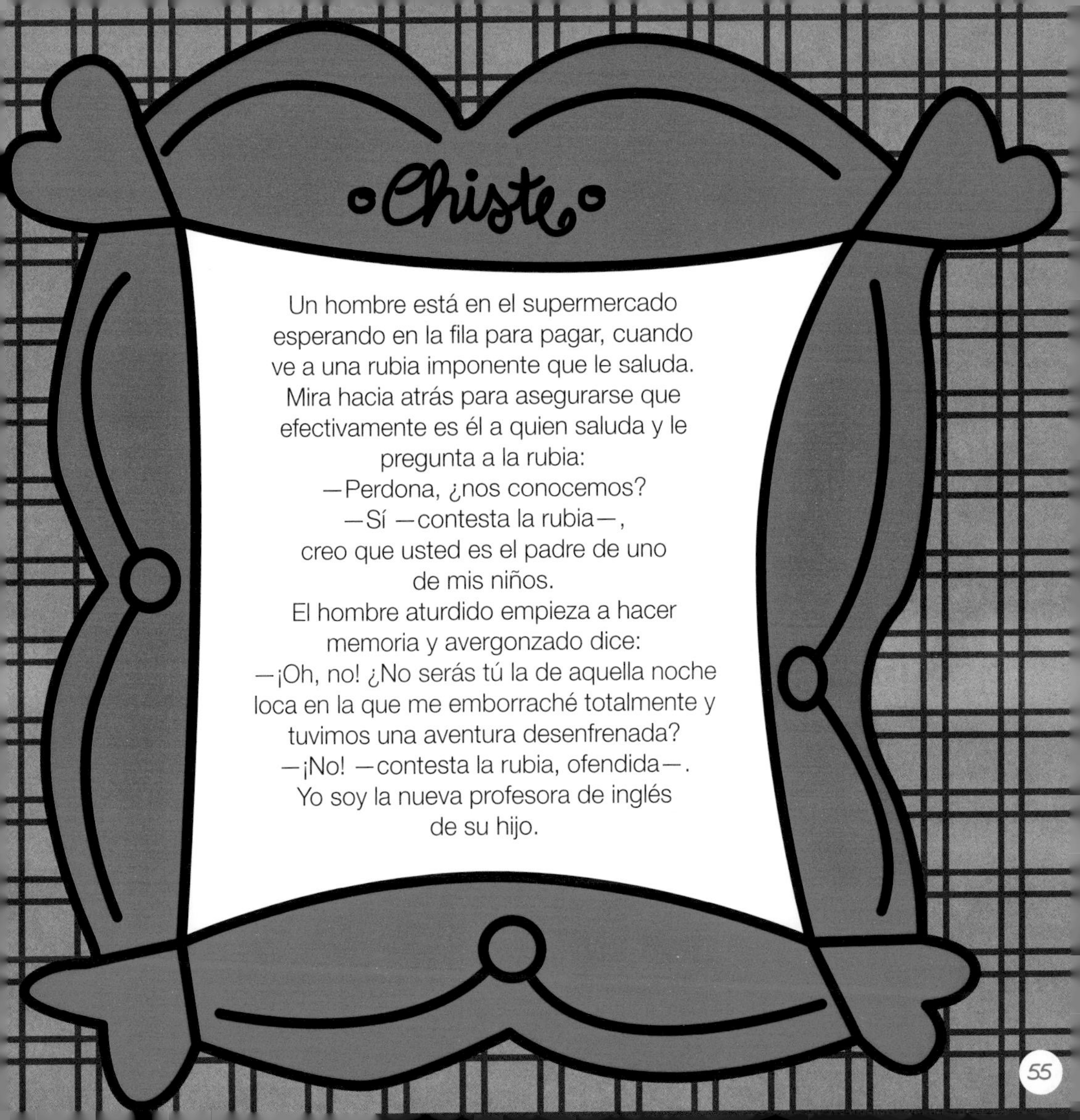

Chiste

Un hombre está en el supermercado esperando en la fila para pagar, cuando ve a una rubia imponente que le saluda. Mira hacia atrás para asegurarse que efectivamente es él a quien saluda y le pregunta a la rubia:

—Perdona, ¿nos conocemos?

—Sí —contesta la rubia—, creo que usted es el padre de uno de mis niños.

El hombre aturdido empieza a hacer memoria y avergonzado dice:

—¡Oh, no! ¿No serás tú la de aquella noche loca en la que me emborraché totalmente y tuvimos una aventura desenfrenada?

—¡No! —contesta la rubia, ofendida—. Yo soy la nueva profesora de inglés de su hijo.

Planta tus propias especias

Independientemente de si vives en una casa grande o un apartamento pequeño, puedes tener varias macetas en la cocina y cultivar tus propias especias: menta, romero, perejil, orégano, albahaca y tomillo, entre otras.

Utilízalas frescas para dar el máximo sabor, y seca algunas para poder utilizarlas durante el resto del año. Cuando cortes los tallos, hazlo siempre longitudinalmente y se conservarán mejor.

Puedes utilizar una maceta de distinto color para cada especia o poner el nombre en las macetas con letras decorativas.

Truco casero

Procura tener una planta de aloe vera en la cocina. El líquido que suelta al romper las hojas alivia las quemaduras.

Ahorra
en los
Viajes

Planifica con antelación

¿No te da la impresión de que tú nunca puedes encontrar esas increíbles ofertas de viajes de las que hablan tus amigos? Tengo una amiga con la que he hecho algún viaje y, francamente, me desespera porque no hay nada que más le guste que presumir de lo barato que le ha salido el viaje… cuando yo, por pura desidia, hice mi reservación a ultimísima hora y tuve que pagar la tarifa más cara del mercado.

¿Cómo consiguen esas ofertas? ¿Es verdad que existen o es que a tus amigos les encanta hacerte sufrir contándote mil historias de lo maravillosamente organizados que son? Tengo que reconocerlo. Sí, las superofertas existen. No hay muchas, pero como dicen por ahí: "haberlas hailas". Para encontrarlas es fundamental planificar tus viajes con tiempo. Si sabes seguro lo que quieres hacer en tus vacaciones, empieza a mirar precios de hoteles, aviones y alquiler de autos con por lo menos seis meses de antelación. Busca en Internet, donde siempre están las mejores ofertas. Y si encuentras un precio buenísimo, ¡resérvalo cuanto antes!

Utiliza las millas acumuladas

Volviendo a mi amiga de antes (ver idea anterior), otra de las cosas que le apasiona es contarme cómo le han salido los pasajes de avión GRATIS con las millas de su marido (porque su marido viaja mucho por trabajo... y en *business*... no como la mayoría de los humanos que viajamos en turista casi forzados a establecer amistades íntimas por eso de la proximidad con la que ponen los asientos...) Si viajas de vez en cuando en avión y tienes millas acumuladas, comprueba cada cierto tiempo cuántas tienes y cuántas necesitas para canjearlas por viajes gratis. Una vez más, planifica tus viajes con tiempo, ya que los pasajes que se pueden comprar con millas son limitados y se acaban muy pronto.

No esperes demasiado para usar tus millas. Algunas aerolíneas ponen fechas límite para canjearlas y, lo que es peor, otras quiebran y tus millas... *¡PUF!* desaparecen.

Chiste

¿Por qué en todos los aeropuertos hay iglesias? Para confirmar los vuelos.

Alquila un apartamento en lugar de ir a un hotel

Si viajas con tus hijos o con amigos, es probable que te resulte más barato alquilar un apartamento que ir a un hotel. Si viajas con chicos adolescentes y vas a un apartamento, tiene la ventaja añadida de que no van a llamar al servicio de habitaciones, controlas más las entradas y salidas, y en fin… evitas que vean ciertos programas de televisión.

Cuando te quedas en un apartamento puedes hacer algunas de las comidas en casa, por lo menos el desayuno.

Si compartes los gastos con amigos o familia comprobarás que sale mucho más económico.

Además, por la noche, puedes tomar un trago con tus amigos en tu propio apartamento, quedarte tranquilamente hablando hasta tarde y comentar las aventuras del día sin necesidad de hacer cálculos mentales de lo que te va a costar la factura del bar del hotel.

Dato curioso

Los buenos modales cambian según los países. ¿Sabías que en Japón es de buena educación sorber los fideos haciendo ruido?

Mira en Internet los horarios de museos

Una de las cosas más desesperantes cuando visitas una ciudad es llegar a un museo y ver que está cerrado o que tenías que haber hecho una reservación para entrar a esa exposición que tanto te interesaba ver. Como, además, dejaste la visita del museo para última hora, al día siguiente te vas y ya no puedes verla. Desesperante. A mí esto me pasó en Florencia cuando fui a visitar la galería Uffizi y me quedé con las ganas. Descubrí, demasiado tarde, que en casi todos los museos de Florencia podías hacer reservaciones y encima te ahorrabas la espera.

Antes de viajar, busca información en Internet sobre los museos que quieres visitar. Algunos tienen precios especiales para ciertos días de la semana y dan descuentos a estudiantes, personas mayores y quién sabe, a lo mejor hasta a amas de casa. ¿Por qué no?

Cuando vayas al extranjero usa la calculadora

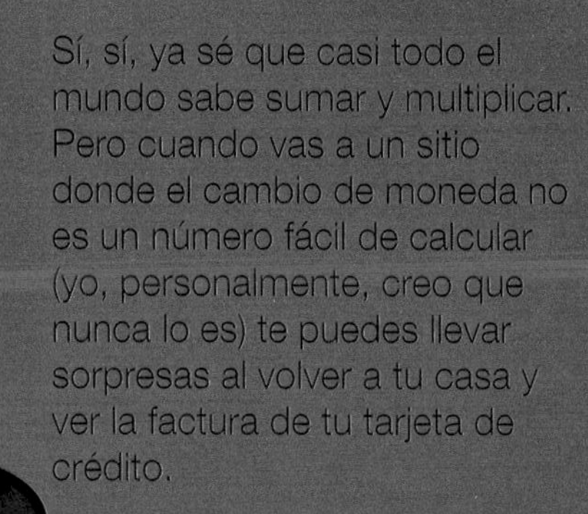

Sí, sí, ya sé que casi todo el mundo sabe sumar y multiplicar. Pero cuando vas a un sitio donde el cambio de moneda no es un número fácil de calcular (yo, personalmente, creo que nunca lo es) te puedes llevar sorpresas al volver a tu casa y ver la factura de tu tarjeta de crédito.

Hay calculadoras muy pequeñitas que no ocupan mucho lugar y no cuesta nada llevarlas en la cartera. Muchos teléfonos celulares tienen calculadora y algunos hasta pueden calcular la propina y, si divides la factura con más gente, cuánto tiene que pagar cada uno.

Chiste

Una mujer va a ir a Brasil de viaje
y le pregunta a su esposo:
—Cariño, ¿quieres que te traiga algo
de Brasil?
—Pues mira, ya que preguntas,
podrías traerme una brasileñita linda
—contesta el esposo haciéndose
el gracioso.
Cuando la mujer vuelve de viaje, el esposo
le pregunta:
—¿Qué me has traído de tu viaje?
—Te traje lo que tú me pediste, mi amor
—contesta ella sarcásticamente.
—¿Ah, sí, una brasileñita?
—Bueno, no estoy segura, en unos meses
veremos si es brasileñita o brasileñito.

Ahórrate una comida de restaurante al día

Cuando viajas, estás todo el día soltando dinero como si tu cartera fuera un grifo abierto. Parece que cada paso que das te cuesta dinero. ¿Sabías que en algunos sitios cobran por usar el cuarto de baño?

Las comidas en restaurantes pueden encarecer mucho tu presupuesto de viaje.

Una solución es buscar un supermercado en la zona. Si buscas, lo encontrarás. Allí puedes comprar tentempiés, botellas de agua y algo de fruta a precios normales. Incluso puedes comprar ingredientes para hacer sándwiches y ahorrarte una comida al día en un restaurante.

Reserva el auto de alquiler más pequeño

Esta es una de las ideas que a lo mejor hace que me meta en un lío con las compañías de alquiler. Así que… *shhhhh…* no se la digas a nadie.

Yo siempre que hago la reserva de un auto de alquiler, pido el auto más pequeño que tengan (que suele ser el más barato) aunque me aseguro que sea lo suficientemente grande para que quepamos todas las personas que vamos a viajar y las maletas que llevamos. ¿Por qué? Muy fácil. Porque muchas veces, cuando vas a recoger tu autito chiquitito, ya no les quedan y te dan uno más grande por el mismo precio. Esto sucede con más frecuencia de lo que puedes pensar. Si no tienes esa suerte, siempre puedes cambiar el que has elegido por otro más grande.

Muchas compañías de alquiler de autos tienen descuentos especiales para empresas, miembros de alguna organización, como la AAA, tarjetas de crédito o miembros de algún programa de millas. Pregunta al hacer tu reservación.

Evita el souvenir o compra de última hora en el aeropuerto

Todo el mundo sabe lo carísimas que son todas las cosas en el aeropuerto. Un verdadero abuso, si quieres saber mi opinión.

A veces no te queda otro remedio que comprar algo en el aeropuerto, como una botella de agua después de pasar seguridad porque la que llevabas te la hicieron tirar a la basura, junto con la crema hidratante supercara que era más grande de lo permitido y las tijeritas sin punta de cortar las uñas que parece que son un arma letal. Hay compras inevitables, pero el regalito de última hora es algo que definitivamente puedes ahorrarte.

En mi familia, tenemos la costumbre de comprar un imán de los sitios que visitamos para ponerlo en el refrigerador. Con esta tradición familiar, que no es nada cara, evito la pregunta típica de los niños cuando vuelvo de viaje: ¿Qué me has traído? Así ya saben qué esperar. Eso sí, mis imanes nunca los compro en el aeropuerto porque son el doble de caros.

Idea útil

Cuando viajes, lleva en tu equipaje de mano una bolsita con una aspirina, cepillo y pasta de dientes, ropa interior y una camiseta. ¡Nunca sabes cuándo van a perder tu maleta! La aspirina es para el dolor de cabeza que dan estas cosas.

Ahorra
en el
Teléfono

Repasa tu plan de llamadas

Las compañías telefónicas cambian constantemente los planes de llamadas. Creo que es, entre otras cosas, para volver a sus clientes locos.

Cuando te apuntas por primera vez a un plan de llamadas, el representante analiza tu situación y te recomienda el plan que se ajusta mejor a tus necesidades. Pasan los meses y la compañía decide ofrecer un nuevo plan en el que dan el doble de minutos, mensajes de texto gratis y un montón de cosas más, por el mismo precio que estás pagando. ¡Y tú sin saberlo!

Mi consejo es que cada tres o cuatro meses, llames a tu compañía telefónica y les preguntes si ofrecen un plan que te resulte más económico. Ellos analizarán la cantidad de llamadas y mensajes de texto que has hecho en los últimos meses y te recomendarán lo que es mejor para ti.

Tampoco hace daño ver lo que ofrece la competencia. A veces, por cambiarte de compañía, ofrecen incentivos muy buenos y casi todas te permiten mantener tu número de teléfono.

Llama por teléfono a través de tu computadora: es GRATIS

Hay varios sitios de Internet donde te ofrecen la posibilidad de descargarte un programa para hablar por teléfono a través de tu computadora. Todo lo que necesitas es una computadora, un micrófono (algunas computadoras tienen el micrófono incorporado, aunque la calidad del sonido no es la ideal) y altoparlantes o auriculares. Venden unos auriculares con micrófono incorporado que son muy cómodos, se oye muy bien y no tienes que obligar a todas las personas de tu casa a oír tu conversación.

Uno de los sitios más conocidos es *Skype*. Todas las llamadas entre computadoras son gratuitas. También tienes la opción de llamar a un teléfono normal, pagando una cantidad muy razonable.

Con estos programas, también tienes la opción de utilizar tu cámara de video de la computadora y así te puede ver la persona con quien hablas. Yo, personalmente, no tengo ninguna intención de conectar una de esas cámaras indiscretas y que mis amigos me vean en pijama toda despeinada, con un aspecto lamentable... pero reconozco que es muy divertido ver a los demás, sobre todo a tus sobrinos o los hijos pequeños de tus amigos que a lo mejor no puedes ver con frecuencia.

Todas las llamadas entre computadoras son gratuitas.

Envía mensajes de texto en lugar de llamar por teléfono

(nvia sms d txt n lgar d ymr x tlf)

Por lo general, enviar un mensaje de texto o SMS *(Short Message Service)* suele ser más barato que hacer una llamada telefónica. Tiene además otras ventajas:

- No tienes que contestar el teléfono cuando estás en medio de algo importante. El SMS lo puedes leer más adelante.

- Te pueden enviar información que necesitas tener a mano pero cuando te la dicen por teléfono nunca encuentras un lápiz para escribirla, como la dirección de la casa de tus amigos, el nombre del restaurante, el teléfono del médico que te habían recomendado, etc.

- Puedes enviar el mismo SMS a varias personas a la vez.

- Evitas la conversación interminable con la vecina sobre las proezas de su hijo.

- Impresionas a tus amigas, sobre todo si son madres como tú, porque ellas no sólo no saben cómo enviar un SMS sino que además necesitan los lentes para poder ver las letritas mínimas que hay debajo de los números. (Secreto de estado: A mí también me cuesta ver esas letritas pequeñas, pero como me paso el día enviando mensajes, ¡ya sé dónde están!)

El lenguaje que se usa en los SMS está lleno de abreviaturas y no respeta ninguna regla gramatical ni de ortografía. La "qu" pasar a ser "k", la "ch" o "por" se escribe "x", las vocales desaparecen y la "h" ni se asoma. Algo así: k tl? k acs? kdms asdc? (Traducción: ¿Qué tal? ¿Qué haces? ¿Quedamos al salir de clase?)

A veces resulta tan complicado ¡que hasta se han publicado diccionarios para entenderlo!

Abreviaturas frecuentes en español:

100pre: siempre
a2: adiós
aki: aquí
asdc: al salir de clase
bss: besos
dfcl: difícil
dnd: dónde
exo: hecho
fsta: fiesta
gwpa: guapa
mxo: mucho
nph: no puedo hablar
pf: por favor
xq: porque
tb: también
tqm: te quiero mucho
ymm: llámame

Ring, ring
—¿Sí?
—Hola, ¿los servicios secretos?
—Lo siento, no puedo decírselo.

Abreviaturas frecuentes en inglés:

2day: *today* (hoy)
4 u: *for you* (para ti)
BTW: *By the way* (por cierto)
c u l8r: *See you later* (Te veo luego)
g2g: *got to go* (me tengo que ir)
g8: *great* (genial)
h8: *hate* (odio)
LOL: *Laughing out loud* (Es para indicar que te estás riendo)
Msg: *message* (mensaje)
r u ok: *are you ok* (¿estás bien?)
TTYL: *Talk to you later* (hablamos luego)
wnd: *weekend* (fin de semana)

Ring, ring
—¿Bueno?
—Doctor, doctor, mi esposa está a punto de dar a luz.
—¿Es su primer hijo?
—¡No! ¡Soy su marido!

Si tienes teléfono fijo y celular, ¿Necesitas los dos?

Hace no tantos años, muy poca gente tenía teléfono celular ya que resultaba bastante caro y en muchos lugares ni siquiera había buena cobertura. ¿Te acuerdas de cuando podías desaparecer durante una semana y nadie te podía localizar? ¿De cuando no tenías contestador automático y te tenías que quedar en casa por si te llamaban después de la entrevista de trabajo? ¿De cuando te llamaba un chico y toda su familia se enteraba? Qué tiempos aquellos…

Hoy en día, es rara la persona que no tiene un celular. Es más, te resulta extraño llamar a alguien y no poder localizarlo inmediatamente. Los teléfonos celulares son ya casi parte de nuestro organismo (a juzgar por toda esa gente que va de un lado a otro con el auricular y micrófono encajado en la oreja).

La telefonía móvil nos ha cambiado la vida y los teléfonos fijos cada vez se usan menos. ¿Podrías prescindir de uno de ellos? Inténtalo una semana. Si es así, adelante, te ahorrarás mucho dinero al año.

¿Qué le dice un teléfono celular a otro? Tengo celulitis.

Ahorra
en el
Banco

Paga tus facturas a tiempo

Cada vez que pagas una factura tarde, te hacen pagar una penalización que a veces suele ser bastante alta. Esto sucede sobre todo con las tarjetas de crédito.

En cuanto te retrasas unos días te cobran no sé cuántos intereses.

Seguramente, la mayoría de las veces que has pagado tarde ha sido por pura desidia, no porque no tuvieras dinero en la cuenta. Así que organízate. Intenta pagar las facturas a los pocos días de recibirlas. Si no quieres pagar hasta la fecha límite, escribe en el sobre, con letras grandes y un marcador grueso, el día que deberías mandar el pago y ordena los sobres por orden de envío.

Paga las facturas por Internet

Infórmate en el banco de cómo puedes acceder a tu cuenta bancaria a través de Internet. Al principio te puede resultar un poco complicado, pero una vez que has metido los datos, con la dirección y número de cuenta de los sitios a los que sueles tener que pagar todos los meses, es comodísimo.

Despídete de tener que estar buscando cheques, sobres y estampillas.

A través de Internet también puedes programar tu cuenta bancaria para hacer pagos mensuales, como por ejemplo, las mensualidades del gimnasio o la dolorosa factura del ortodoncista.

Muchas compañías, como la de la electricidad o del teléfono, te dan la opción de domiciliar la cuenta. Esto quiere decir que te cobran directamente del banco la factura del mes sin que tú tengas que mandar el pago. Yo, personalmente, prefiero no hacerlo ya que me gusta saber cuánto me están cobrando antes de pagar. Pero a muchas personas les resulta muy cómodo no tener que acordarse del pago ni estar pendiente del vencimiento.

Utiliza los cajeros de tu banco

CAJERO$

Muchos bancos no suelen cobrar comisiones cuando utilizas sus cajeros automáticos para hacer cualquier transacción. Sin embargo, cuando vas a un cajero automático que no pertenece a tu banco, siempre te cobran una comisión que puede ser entre $1 y $2.

Pregunta a tu banco qué otras comisiones te van a cobrar, por ejemplo, a la hora de hacer transferencias, por tener un saldo en la cuenta por debajo de cierta cantidad, por pedir cheques o por pagar en moneda extranjera cuando estás de viaje.

Cuando abras una cuenta bancaria, lee la letra pequeña para no llevarte sorpresas. No la hacen pequeñita para que la veas bien...

Dato curioso

¿Sabías que en EEUU puedes escribir los cheques en español?

Chiste

—Papá, papá, ¿vas a denunciar el robo de la tarjeta de crédito de mamá?

—No, hijo, no. Este ladrón gasta menos que tu madre.

Evita pagar a crédito

Cuando recibas la factura de tus tarjetas de crédito, intenta pagar la totalidad y no el mínimo que a veces sugieren. Si pagas el mínimo te van a cobrar intereses que suelen ser muy altos.

Al pagar a crédito, acabas pagando mucho más.

Cancela las tarjetas de crédito que no usas

Muchas tiendas ofrecen sus propias tarjetas de crédito y cuando las solicitas, te dan un descuento que a veces puede llegar al 20% de tu primera compra. Antes de solicitar una tarjeta de crédito, pregunta si tiene cargos anuales. Si la tarjeta es totalmente gratuita, merece la pena pedirla y ahorrarte el descuento que ofrecen al principio, siempre y cuando seas capaz de pagar las siguientes facturas en su totalidad y no a crédito, ya que ahí es donde ellos ganan dinero, con los intereses.

Procura cancelar las tarjetas de crédito que te cobran una comisión anual. Con la cantidad de tarjetas que hay totalmente gratuitas, ¿para qué tener justo la que te cobra comisiones? No suele merecer la pena a no ser que te ofrezcan ventajas cuyo valor sobrepase la comisión.

Cambia tus tarros de monedas por billetes

¿Quién no tiene un tarro donde va metiendo todas las monedas que estorban y pesan en el bolsillo?

¡Pon ese dinero en movimiento! Lleva las monedas al banco y pide que te las cambien por billetes.

También puedes proponerte usar las monedas todos los días para pagar en las tiendas.

En algunos supermercados hay máquinas que cambian las monedas, pero suelen cobrar una comisión bastante alta.

Ahorra
en el
Día a Día

Intenta evitar el café de la mañana en la cafetería de la esquina

Uno de los primeros pasos que tienes que tomar cuando decides empezar a ahorrar seriamente es analizar tus rutinas diarias y ver en qué gastas dinero a lo tonto.

El cafecito de la mañana en la cafetería de la esquina es un hábito caro y poco saludable. Entiendo que esos sitios modernos, con aspecto acogedor que están abriendo por todas las ciudades y pueblos del país, de los que sale un aroma irresistible son de lo más incitantes (creo que no puedo decir nombres, pero a lo mejor sabes de qué estoy hablando). ¿Qué hay mejor que entrar en uno de estos locales, tener que esperar diez o quince minutos a que te atiendan, pedir un café con un nombre rarísimo y pagar diez veces más de lo que costaba antes un café normal? Muy fácil: tomarte un café en tu propia casa.

Si te resulta muy difícil romper esa rutina, prueba a darle más importancia al desayuno en tu casa. Levántate un poquito antes para no tener que ir con la lengua fuera por las mañanas y disfruta de un desayuno tranquilo, leyendo el periódico en bata.

Chistes

Había una vez un chiste
tan malo, tan malo, que
pegaba a los chistes pequeños.

Un señor entra en un bar y pregunta:
¿Cuánto cuesta un café solo?
—Tres dólares —contesta el mesero.
—¿Y el azúcar?
—El azúcar es gratis.
—Ah, bien, entonces póngame un kilo,
por favor.

Lleva algo de comer en la cartera por si te da hambre

Hay situaciones realmente bochornosas, como cuando estás hablando con alguien al que pretendes impresionar y de repente, así, sin previo aviso, a tus tripas les da por rugir y hacer un escándalo espantoso. La persona que está hablando contigo hace como si no oyera nada, pero tú sabes muy bien que, a no ser que sea totalmente sordo (y no te pareció ver que llevaba audífonos), está oyendo perfectamente tus rugidos intestinales… ¡Qué horror!

Para evitar eso, la mejor solución es preparar algo en casa (por eso del ahorro) y llevar siempre algo de comer en la cartera. Así cuando ves que estás a punto de desvanecerte y que no tienes tiempo para sentarte a comer bien, puedes llevarte algo a la boca y recuperar energías.

Procura que sea algo sano y que no se vaya a estropear con las idas y venidas y el bamboleo de la cartera. Puedes llevar zanahorias, manzanas, barritas de cereales, nueces o cualquier otro fruto seco.

Cambia los refrescos por el agua

Cuando yo era pequeña, en mi casa sólo nos dejaban tomar refrescos en ocasiones especiales y sólo los fines de semana. Mis opciones de bebidas se limitaban al agua, jugo de naranja (eso sí, recién hecho) o leche.

Ahora, en el supermercado, me quedo impresionada al ver la cantidad de refrescos y jugos que hay a la venta y no puedo evitar preguntarme: ¿No es más sano beber agua que un refresco? Si le damos a los niños refrescos o jugos con alto contenido en azúcar, ¿acaso no se les quita el hambre y dejan de comer los alimentos que necesitan para crecer sanos? ¿No van a tener problemas de caries con tanta azúcar? ¿Esas bebidas con gas no son perjudiciales para tu salud?

Yo, desde luego, soy partidaria de beber agua todos los días y dejar los refrescos para ocasiones esporádicas.

Dato curioso

El 75% de un pollo, el 80% de una piña y el 96% de un tomate está compuesto de agua.

Bebe agua del grifo en lugar de agua embotellada

En muchos lugares, el agua del grifo es tan buena, o incluso mejor, que el agua embotellada, pero asegúrate de ello. No te dejes impresionar por los diseños atractivos de las botellas, ni las palabras como "natural", "sano", "agua de manantial" que suelen poner en las etiquetas del agua embotellada.

En EEUU, el agua del grifo está regulada por la Agencia de Protección del Medio Ambiente *(U.S. Environmental Protection Agency)*, mientras que el agua embotellada está regulada por la Administración de Alimentos y Drogas *(U.S. Food and Drug Administration)*.

La diferencia en los requerimientos entre una y otra organización son grandes. Por ejemplo, para que el agua de grifo sea potable, no se permite la presencia de E. Coli o bacterias coliformes; sin embargo, en el agua embotellada está permitida una cierta cantidad de bacterias. El agua del grifo tiene que estar filtrada y/o desinfectada; el agua embotellada, no. El agua potable contiene nutrientes esenciales para el cuerpo, como calcio y hierro. En el agua embotellada muchas veces los minerales se pierden durante los procesos de filtrado.

Compra una botella que puedas rellenar y llénala con agua del grifo. Muchas de esas botellas las venden organizaciones no gubernamentales para sacar fondos para una buena causa. Así que no sólo estarás ahorrando dinero, sino que además con tu compra estarás ayudando a alguien que lo necesita.

Chiste

Si el cuerpo está hecho del 66% de agua, ¿por qué la gente se ahoga?

Recicla las latas y botellas

En casi todas las latas de refresco y las botellas de cristal hay que pagar un depósito. Suele ser de unos 5 centavos por botella o lata.

Es muy fácil ponerlas en el cubo de los envases para reciclar y que se las lleve el camión de la basura. Pero ¿sabes quién va a reclamar el dinero del depósito que tú pagaste? Los ayuntamientos.

Haz el esfuerzo de devolver las latas y botellas al supermercado y recuperar el depósito. Es engorroso, pesado y francamente aburrido, pero a la larga merece la pena.

Ahorra con la Ropa

Revisa y ordena tu ropa

Un día que te despiertes con mucha energía, saca toda la ropa del armario y los cajones. Toda: desde tu ropa interior a los suéteres y vestidos. Seguro que encuentras esos pantalones que tanto te gustaban y te los ponías tantas veces, hasta que un día te quedaron muy apretados. Eso sí, no los quieres tirar a la basura porque todavía tienes la esperanza de que algún día te los podrás volver a poner. Mientras tanto, ahí están, desafiantes, casi los puedes oír riéndose de ti cada vez que abres la puerta del armario, y tú ya ni te atreves a probártelos porque no quieres llevarte un disgusto. A lo mejor, y sólo a lo mejor, ha llegado el momento de despedirte de ellos.

Además de esa ropa que te recuerda a otros tiempos en los que no tenías problemas de tallas, seguro que encontrarás cosas que hace tiempo no te pones y todavía te sientan bien y están como nuevas.

Piensa en otras maneras de combinarlas, con un cinturón distinto, un chal, un collar llamativo. Idea combinaciones distintas de la ropa que tienes. Por ejemplo, si te pones un vestido negro, lo puedes combinar con un cinturón de un color vivo y un chal que le haga juego. Los pantalones y vestidos negros son unas de las prendas más útiles y combinables.

No todo tiene que ser de marca

Es cierto que muchas veces lo barato sale caro. La ropa cara o de marca reconocida suele ser de mejor calidad y dura más tiempo, por lo que generalmente merece la pena la inversión. ¿Cuántas veces te has comprado una camisa que era una ganga y al lavarla ha encogido o se ha desteñido y no te la has podido volver a poner, o unos guantes de esquiar que eran muy baratos pero no calientan nada y se te congelan las manos?

Eso no quiere decir que todo lo que te compres tiene que ser caro ni de marca. A lo mejor **puedes comprar las medias, la ropa para hacer deporte o la ropa de dormir en alguna tienda más barata.**

El tener que ir siempre con ropa de marca es un problema más frecuente en adolescentes, en los que la forma de vestir es muy importante ante sus amigos. Quieran o no, saben que muchos de sus compañeros del colegio les van a clasificar según la ropa que lleven. Es muy difícil a esa edad entender que las marcas no hacen a la persona. Para ellos es importante tener algo de la marca que usan sus amigos. Intenta ser comprensiva. Toda su ropa no tiene que ser de marca, pero a lo mejor algo sí.

Chiste

Un hombre lleno de dudas le pregunta a su esposa:
—Oye, mi amor, si yo me muero, ¿tú llorarías por mí?
Y ella responde:
—Claro que sí, si tú ya sabes que yo lloro por cualquier cosa.

Espera a las rebajas

Resiste la tentación de comprar ropa al precio normal. Muchas veces, si ves algo que te gusta y esperas un par de semanas, puede que lo hayan rebajado.

Si no has podido resistir y te has comprado algo que no estaba rebajado, procura pasar por la tienda a la semana siguiente para ver si lo han puesto en oferta. En muchas tiendas, te devuelven la diferencia si has comprado algo al precio normal y lo han rebajado a los pocos días. Normalmente sólo tienes que llevar el recibo y la tarjeta de crédito con la que pagaste.

Visita los outlets

Un *outlet* es una tienda donde todos los productos están rebajados con respecto al precio normal. Casi todas las tiendas de marcas conocidas suelen tener su propio *outlet*. Es uno de los inventos más maravillosos de este país. Ahí encuentras ropa buena a precios increíbles. A veces encuentras la ropa de la temporada anterior, otras veces ofrecen exactamente el mismo modelo que en la tienda normal, pero de menor calidad y a un precio mucho más asequible. Una excursión a los *outlets* justo antes de empezar una temporada, como por ejemplo, la vuelta al colegio, **te puede ayudar a ahorrar mucho dinero.**

No sólo ahorras con los precios sino que también te obliga a organizarte, a pensar qué necesitas y a no comprar por comprar.

Si encuentras un artículo dañado pide que te lo descuenten

En casi todas las tiendas tienen productos que se han estropeado un poco. A veces son cosas que casi ni se notan, como un arañazo en la parte de atrás de un mueble o una camisa con un agujerito justo en la parte que se mete por dentro del pantalón. Otras veces sólo les queda lo que tienen en el escaparate o tienen un artículo de electrónica sin caja o sin instrucciones. **Si encuentras algo así, acércate al gerente y pregúntale si te lo puede ofrecer a un precio rebajado. Te sorprenderá cuántas veces te dicen que sí.**

Ahorra
en
Regalos

Haz
tus propias
tarjetas

En las papelerías y tiendas de autoservicio, parece que la sección de tarjetas es cada día más amplia. Hay tarjetas para todos los gustos y colores. Divertidas o serias, románticas o sarcásticas, cursis o soeces. Descubrir justo la que quieres te puede llevar un buen rato. Si buscas, seguro que encuentras una tarjeta que se ajuste muy bien a tu regalo, pero desde luego nunca será tan linda y personal como la que puedas hacer tú misma (por no mencionar lo que te ahorras al hacerla).

Aquí tienes varias ideas para hacer tus propias tarjetas:

Flores prensadas

El método de toda la vida de meter flores entre las páginas de un libro para prensarlas funciona a las mil maravillas.

Si las flores son muy voluminosas, como las rosas, las puedes partir por la mitad y prensar cada mitad por separado. También puedes separar los pétalos y hacer diseños con ellos cuando estén prensados.

No te limites a las flores. Puedes prensar hojas y todo tipo de frutas cortadas en rodajas muy finas, a lo largo o a lo ancho, como kiwi, pepino, champiñón, etc. Para no manchar las páginas del libro, pon papel de cera entre la fruta y la página.
Una vez que tengas las flores, hojas o frutas prensadas, pégalas en una cartulina con un poquito de pegamento. Puedes poner una sola flor o crear diseños más sofisticados.

Tus tarjetas serán las más elegantes y te aseguro que recibirás muchos cumplidos. ¡No te sorprenda que alguna termine enmarcada!

Utiliza dibujos de tus hijos

Para anunciar el nacimiento de un bebé, una mudanza o invitar a un bautizo, puedes utilizar los dibujos de tus hijos pequeños. Diles que dibujen un bebé o una casa. Si tienes un escáner, puedes escanear el dibujo y crear unas tarjetas muy originales.

Ahorra
en papel
de regalo

En lugar de comprar papel decorado para envolver regalos, compra un rollo de papel blanco para dibujar o un rollo de papel de estraza marrón. Envuelve los regalos con el papel blanco o marrón y decóralos con cintas y lazos de colores. Es muchísimo más barato y más elegante que los papeles de miles de colores. Tiene además la ventaja que sirve para cualquier tipo de regalos, no como muchos papeles estampados que sólo se pueden usar en ocasiones específicas: Navidad, cumpleaños, para niños o adultos.

Si te sientes muy creativa, puedes decorar el papel blanco tú misma.

Idea útil

Guarda las cintas de los regalos que recibas. Siempre las podrás usar más adelante.

Compra fuera de temporada

Esta es una de las ideas que requiere un poco de planificación. La mejor época para comprar algo es cuando está fuera de temporada. Ya sé que no es fácil probarse un traje de baño cuando estás en pleno invierno, con el abrigo, la bufanda y las botas, y lo último que quieres hacer es entrar en ese probador y tener que enfrentarte a ese espejo cruel con mucha menos ropa de la que te gustaría llevar en ese momento.

En realidad, es una tortura. ¿A ti no te da la impresión de que los espejos de los probadores siempre te hacen parecer más gorda? Desde luego, si yo tuviera una tienda, pondría de esos espejos que te hacen parecer delgadísima, y ya puestos, bajaría los números de todas mis tallas. Así, por ejemplo, la talla 10 en mi tienda sería una talla 6. ¿Qué hay más gratificante que probarte algo de tres tallas menos, que te quede bien y encima te ves increíble en ese espejo especial?

Pero volviendo al tema de las compras. Si sabes, por ejemplo, que el cumpleaños de tu amiga es en verano y cuando estás de compras en pleno invierno ves algo de verano maravilloso y rebajadísimo, ¡cómpralo! Eso sí, no te olvides de dárselo cuando llegue la fecha. Siempre es útil tener una buena agenda e ir anotando los cumpleaños y fechas importantes.

Chiste

Un señor va a comprar una estampilla postal y le dice al dependiente:

—Por favor, bórrele el precio, que es para regalar.

La mejor época para comprar algo es cuando está fuera de temporada.
OFERTA
PICNIC
AHORA
$9'90
MAYO
17

Haz tus propios regalos originales

El mejor regalo no tiene por qué ser el más caro. Sí, entiendo que un collar de diamantes, un crucero de lujo por El Cairo o un auto deportivo no son como para despreciarlos, pero hay otras opciones que a veces pueden tener más significado y dejar más huella.

Todos necesitamos sentirnos especiales. Cuando alguien dedica tiempo y cariño en preparar algo especial para ti, te hace sentir francamente bien. Fíjate que mucha gente guarda esas pequeñas notas en las que les dicen que les quieren, les dan las gracias por algo o les dicen que han hecho algo bien. Muchas veces un gesto de gratitud y reconocimiento de que eres importante en la vida de alguien tiene más valor que cualquier cosa que se pueda comprar con dinero.

Ahora bien, no quiero decir que con esto te acerques a alguien el día de su cumpleaños, le des una palmadita en la espalda y le digas: “Oye, te quiero mucho y eres estupendo” y con eso pienses que te has ahorrado el regalo. No, no, no. Sólo sugiero que antes de comprar un obsequio, pienses si podrías hacer algo especial para esa persona, algo que salga de ti, que diga lo mucho que le aprecias y que nadie más le pueda ofrecer. Algo que hayas hecho tú misma.

Aquí tienes algunas sugerencias de regalos cuyo valor principal no está en el dinero sino en la intención y cariño con el que lo preparas.

Un dibujo o un cuadro

Dibuja o pinta algo que tenga significado para la persona a la que se lo vas a regalar: un paisaje de su sitio preferido, un cuadro de su casa, el muñeco que tenía cuando era pequeño, un rincón de su apartamento.

Si haces un dibujo a lápiz, enmárcalo antes de regalarlo. Hay marcos que no cuestan mucho dinero y le dan mucho más valor a tu obra.

Además, como artista, tú eres la que mejor sabe cómo debería estar enmarcado tu dibujo.

Un regalo que suele tener mucho éxito para un bebé recién nacido es el nombre del bebé acompañado con dibujos de animalitos, juguetes o flores hechos con acuarelas.

Cerámica

Hay talleres de cerámica en los que puedes hacer tus propias piezas y pintarlas. Puedes hacer platos, fuentes, tazas, ceniceros y muchas cosas más. Son regalos prácticos y decorativos.

Un poema o una historia

En numerosas ocasiones he visto en las casas de mis amigos poemas enmarcados que alguien les había escrito. Algunos eran de cuando les habían conocido o de algo que les había pasado juntos o simplemente unos versos para decir lo mucho que les apreciaban. Ellos muestran orgullosos el hecho de que alguien les ha dedicado unas líneas muy especiales.

Saca papel y lápiz. Diles a tus amigos y familiares lo mucho que les quieres, lo importantes que son ellos en tu vida, lo orgullosa que estás de ellos. Cuando hablas de tus sentimientos y los compartes con tus amigos o familiares, lo aprecian de verdad. Son palabras que se quedan contigo toda la vida.

Si te gusta escribir, aventúrate a contar una historia. Intenta escribir un cuento corto o incluso una novela. Ponte como objetivo terminarlo para una fecha importante. A lo mejor puedes hablar de tu infancia y regalarle a tu hermana las aventuras de cuando eran niñas o puedes escribir un cuento fantástico en el que los personajes son miembros de tu familia y regalárselo a tus sobrinos.

¡Seguro que tienes tantas cosas que contar!

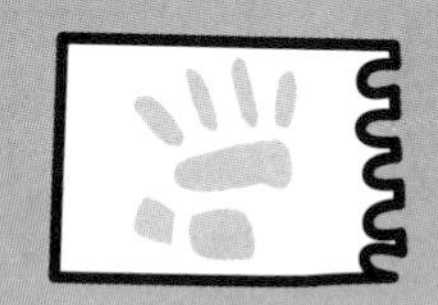

Álbum de fotos

La gran ventaja de las cámaras digitales es que es muy fácil retratar todos y cada uno de los momentos que vives. El problema es que, con frecuencia, esas fotos acaban en tu computadora, las miras durante a lo mejor los tres primeros meses, pero al cabo de un año, ya ni recuerdas en qué carpeta las guardaste o a tu computadora le ha entrado un virus y has perdido toda la información o incluso te cambiaste de computadora y se te olvidó sacar las fotos de la vieja antes de deshacerte de ella.

No mucha gente imprime las fotos digitales. Casi todos lo quieren hacer, pero entre unas cosas y otras, pasa el tiempo y al final, no lo hacen. Es por eso que cuando regalas un álbum de fotos, el que lo recibe lo agradece muchísimo.

Si te da mucha pereza ir a una tienda a que te impriman las fotos, hay muchos sitios en Internet en los que puedes encargar copias. También puedes pedir que las impriman en un álbum de fotos o las enmarquen y las envíen directamente a tus amigos o familiares.

Libro conmemorativo

Para ocasiones muy especiales, como unas bodas de plata o de oro, un cumpleaños especial, el aniversario de una tienda o del restaurante de tus amigos, etc., puedes crear un libro conmemorativo que te aseguro que emocionará a la persona que lo recibe. Para hacerlo:

1. Compra un álbum de fotos de los que se pueden quitar las páginas.

2. Envía una página a cada amigo o persona que creas que podría aportar al libro. Por ejemplo, si tus padres van a celebrar las bodas de plata, envía una hoja del álbum a cada uno de tus hermanos, tus tíos, primos y amigos de tus padres con los que tengas confianza.

3. Pide a cada persona elegida que dedique esa página que dedique esa página a poner fotografías, poemas o historias relacionadas con la persona a la que quieres homenajear. No te olvides de darles una fecha límite para que te devuelvan la página terminada. Seguramente tendrás que recordárselo unos días antes con una llamada telefónica. Para facilitarles el trabajo, cuando les envíes la página del álbum, deberías incluir un sobre con tu dirección y la guía de envío pagada, y así te la puedan enviar de vuelta una vez que la hayan terminado.

4. Reúne todas las páginas y crea un álbum de recuerdos inolvidable.

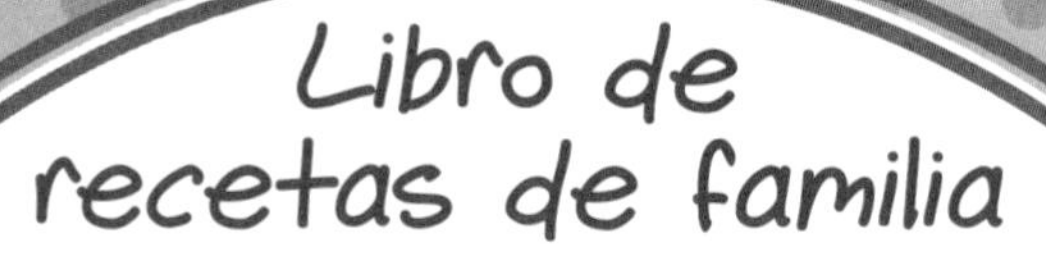

Este es el regalo perfecto para tus familiares y amigos con los que quieras compartir los secretos culinarios de varias generaciones.

Requiere un poco de preparación, pero los resultados siempre son, nunca mejor dicho, deliciosos.

Cada receta la puedes acompañar de una fotografía o alguna anécdota sobre ese plato en particular: ¿Quién la preparaba? ¿Dónde la comías? ¿Se preparaba en alguna ocasión especial?

Estos libros se convierten en un verdadero tesoro familiar.

Bordados

En las tiendas de costura y trabajos manuales, venden muchos artículos, como baberos, trapos de cocina, bolsas, delantales, etc., en los que se puede bordar o hacer en punto de cruz desde letras sencillas a dibujos mucho más elaborados. Es muy entretenido, sobre todo en las largas tardes de invierno, no resulta nada caro y son detalles con los que quedas bien.

Vales de regalo

Aquí tienes una idea muy creativa y original que no cuesta nada de dinero pero que al que lo recibe le puede venir muy bien.
Ofrece vales de regalo a tus amigos por servicios que les puedes dar:

- Vale por una noche de niñera
- Vale por un paseo al perro
- Vale por una cena casera
- Vale por un masaje

Sé creativa. Decora los vales y envuélvelos en papel de regalo, con un lazo muy grande para darles el valor que tienen.

CD de música

Piensa en tus amigos y la música que les gusta. A lo mejor al adolescente le puedes regalar una recopilación de música para bailar; a tu suegra, un CD de música clásica; a tu amiga que acaba de empezar a salir con un chico, un CD de música romántica; a la maestra del colegio de tus hijos, un CD con canciones infantiles populares para que las pueda enseñar en su clase; a la pareja que te ha invitado a cenar a su casa, un CD de música tranquila de fondo.

Si pones un poco de creatividad puedes decorar la carátula del CD y poner un título original a tu selección de canciones.

Ahorra en la Vida Social

Organiza comidas en casa

Comer en un restaurante cada vez es más caro. Recuerdo una noche, en mi época de estudiante, cuando nunca tenía dinero, que fui a un restaurante a cenar con un grupo de amigos. Como todo el mundo, me fijé en los precios y calculé que si pedía una ensalada y algo de postre no me costaría demasiado. Por supuesto, la excusa era que no tenía mucha hambre… La estrategia era perfecta. Por desgracia, mis amigos no se limitaron a una ensalada. Pidieron dos platos cada uno y se pusieron morados. "Bueno —pensaba—, por lo menos yo mantendré la línea". El problema fue a la hora de pagar, que decidieron dividir la factura entre todos los que estábamos y claro, ¡nadie se fijó que yo sólo había comido un poco de lechuga! Fue la ensalada más cara que he comido en mi vida. Eso sí, nunca me volvió a pasar lo mismo.

Organizar comidas en casa no tiene que ser complicado y puede resultar muy divertido. Si no quieres hacer tú todo el trabajo, pídeles a tus amigos que lleven algo.

A lo mejor puedes organizar concursos de cocina o puedes proponer un tema para la cena: comida italiana, japonesa, etc. Decora el comedor acorde al tema que has elegido y dejarás a todos impresionados.

Haz excursiones y planes que no cuesten dinero

Hay muchos planes divertidos que no cuestan dinero. Aquí tienes algunas ideas:

- Da un paseo por el campo. Puedes preparar la comida en casa y pasar un día en contacto con la naturaleza.
- Ve a la playa fuera de temporada.
- Busca conciertos gratuitos. En muchas ciudades, los ayuntamientos ofrecen conciertos gratis en los parques de todo tipo de música. Por ejemplo, en Central Park, en Nueva York, los conciertos gratuitos en verano siempre tienen mucho éxito y suelen llevar a grupos muy conocidos.
- Organiza una excursión larga en bicicleta con tus amigos.

Organiza concursos con tus amigos

Los concursos entre amigos suelen tener un éxito tremendo. La gente se ríe mucho y se pasan unas tardes muy entretenidas.

Los más fáciles de organizar son los concursos de cartas o los juegos de mesa.

Si quieres hacer algo más original, puedes organizar tus propios concursos.

Concurso de preguntas

Prepara preguntas de distinto nivel de dificultad y distintas categorías, por ejemplo, geografía, moda, famosos, matemáticas, computadoras, animales, películas, etc. Escríbelas en notas adhesivas, con la respuesta en el reverso, y ponlas en una cartulina grande, en distintas columnas según el tema. Encima de las notas, pon otra nota adhesiva con números que indiquen el nivel de dificultad.

Divide a tus amigos en dos equipos. Los equipos se turnan para ir eligiendo tema y pregunta. Dales un tiempo máximo para contestar. Si un equipo no sabe la respuesta, el otro equipo puede intentar responderla.

Concurso de música

Prepara un CD con todas las canciones que puedas. Es más fácil si toda la música es por ejemplo de la misma época. Divide a tus amigos en dos equipos. Cuando pongas una de las canciones, los equipos tienen que intentar averiguar el título o el cantante. Gana el que lo adivine antes. Otra versión de este mismo concurso más fácil de organizar es que un miembro de un equipo tiene que tararear la canción que le diga el equipo contrario. Los miembros del equipo de la persona que tararea tienen que intentar averiguar qué canción es. Después le toca al otro equipo elegir una persona para tararear e intentar averiguar la canción.

Consejo

Si al hacer los equipos pones a los chicos en uno y a las chicas en otro, los concursos suelen resultar mucho más divertidos. La competencia entre los sexos siempre termina con bromas y chistes geniales.

Cambia el cine por una película de video

Alquilar una película de video cuesta menos que una entrada de cine.

Invita a tus amigos a ver una película o videos musicales en tu casa. También les puedes pedir que lleven videos de cuando ellos eran pequeños. Pon los videos sin decir a nadie de quién son y juega con tus amigos a intentar averiguar quién es quién.

¿Sabías que muchas bibliotecas tienen una sección de películas de video?

Chiste

Se abre el telón
y se ve un pelo encima
de una cama,
¿cómo se titula
la película?
El vello durmiente.

Visita la biblioteca de tu ciudad

Hay muchos libros que quieres tener y atesorar, como las novelas de tu autor preferido, los libros de cocina, libros de ediciones inéditas y, por supuesto, este libro que tienes en las manos. Hay otros libros que quieres leer pero no estás segura de si te van a gustar y preferirías no gastarte el dinero para averiguarlo.
En ese caso ¡no te olvides de la biblioteca!

En las bibliotecas tienen todos los libros que te imaginas y muchísimos más. Si no encuentras lo que estabas buscando, habla con la bibliotecaria. Normalmente lo pueden pedir de otras bibliotecas o incluso lo pueden comprar.

Muchas bibliotecas también organizan actividades para niños completamente gratuitas.

Chiste

Un señor entra en la biblioteca
y pregunta:
—¿Dónde puedo encontrar el libro
“El hombre, el ser más grandioso
de la Tierra”?
—En la sección de ciencia ficción
—contesta la bibliotecaria.

Ahorra en Suscripciones

Revistas y periódicos

¿Estás suscrita a alguna revista o periódico? Cuando los recibes, ¿tienes tiempo para leerlos o los hojeas muy por encima y nunca encuentras el momento de sentarte tranquilamente a leer los artículos que te interesan?

Si realmente no tienes tiempo para leer las revistas o periódicos a los que te has suscrito, ha llegado el momento de cancelarlos o, por lo menos, no renovar la suscripción. Los periódicos suelen ofrecer la opción de recibirlos sólo los fines de semana o todos los días. Mira a ver qué se ajusta más a tu horario.

Por otro lado, si cada vez que vas al supermercado te compras una revista o un diario, a lo mejor deberías considerar el suscribirte, ya que siempre es mucho más barata una suscripción anual que comprar revistas sueltas.

Cuando vayas de vacaciones o vayas a estar fuera de casa unos días, no te olvides de cancelar la suscripción del periódico. Por un lado te ahorrarás esos días y por otro, no anuncias a los ladrones que no estás en casa con la montaña de periódicos acumulados en la puerta de tu casa.

Televisión

Las compañías de televisión ofrecen distintos paquetes con distintos canales. A veces, sin darnos cuenta, estamos pagando servicios que no necesitamos.

Fíjate en qué programas ves y cuáles no ves nunca. Llama a la compañía de la televisión y pregunta si tienen alguna opción que te convenga más.

Algunas compañías de televisión ofrecen Internet, televisión y teléfono por cable. Suele ser más barato que contratar cada uno por separado y te dejan mantener tu número de teléfono. Uno de los inconvenientes que tiene es que si te quedas sin electricidad, también te quedas sin teléfono.

Gimnasio

¡Ay, ese gimnasio! Lo carísimo que es y lo poco que lo usas. Cuando te apuntaste estabas convencida de que ibas a ir todos los días y que te apuntarías a todas esas clases de pilates, kick boxing, aerobics y no sé cuántas más. Habías tomado la determinación de ponerte en forma. Al principio ibas con bastante asiduidad, pero a medida que pasaron los meses, siempre encontrabas una buena excusa para no ir: tienes una cena con los amigos, no te encuentras muy bien, estar supercomplicada… Así que ahora, como mucho, vas una vez a la semana. Eso sí, sigues pagando las mensualidades religiosamente. Si no vas al gimnasio, ¿por qué no te borras y dejas de pagar las mensualidades? En los meses que hace buen tiempo, haz ejercicio al aire libre, monta en bicicleta, corre, nada en el mar, juega voleibol en la playa… Disfruta de la naturaleza y ahórrate la tortura de pensar que estás pagando un gimnasio que no usas.

Chiste

Están dos amigos cambiándose de ropa en el gimnasio cuando uno se da cuenta de que su amigo usa ropa interior de mujer.

—Oye —le dice—, pero mira qué escondido lo tenías. ¿Desde cuándo usas ropa de mujer?

—Desde que mi esposa se la encontró en mi auto y le tuve que decir que era mía.

Pide siempre descuento

Hay un dicho un tanto vulgar que dice: "el que no llora, no mama" y ¡qué razón tiene!

Nunca pierdas una oportunidad para pedir un descuento. No tienes nada que perder y, desde luego, el "no" ya lo tienes.

Siempre que tengas que hablar con alguien para renovar una suscripción, el gimnasio, el contrato del teléfono o de la televisión o incluso cuando llevas a tu segundo hijo al ortodoncista, pide que te den descuento.

Yo he conseguido descuentos en los sitios más dispares: en un viaje de esquí que fuimos con un grupo grande de amigos, en un restaurante al celebrar una ocasión especial y contratar por adelantado un menú fijo, en la guardería de mis hijos cuando apunté a mi segundo hijo y muchos otros sitios más.

Ahorra
en el
Hogar

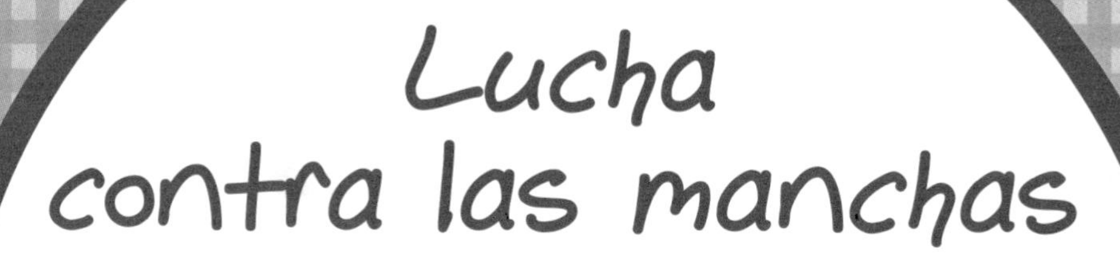

Lucha contra las manchas

¿Se te ha estropeado la ropa al lavarla? ¿Tienes una mancha enorme de marcador en tu blusa preferida? ¿Estás pensando en retapizar un sofá porque tiene manchas?

Antes de tomar medidas drásticas, como tirar la ropa o mandar a retapizar todas las sillas de tu casa, intenta estos trucos caseros (y baratos) que a lo mejor pueden extender la vida de tus prendas.

Seguro que tú conoces otros trucos para quitar manchas. Escríbelos en las últimas páginas de este libro.

CHICLE PEGADO

Si se te ha pegado un chicle a la ropa, métela en el congelador durante la noche. Al día siguiente verás que no cuesta nada quitarlo.

MANCHAS DE MARCADOR

Sumerge la prenda en un poco de jugo de limón o en leche durante un par de horas; después enjuágala y lávala normalmente.

ROPA ENCOGIDA

Mete la prenda en agua fría y añade una cucharada de amoníaco, una de alcohol y una de trementina. Déjala en remojo durante varias horas, revisándola de vez en cuando. Después, enjuágala con agua y ponla a secar.

ROPA DESTEÑIDA

Mete la prenda en agua fría con varias hojas de laurel durante unas horas.

MANCHAS DE PLANCHA

Las manchas amarillentas de la plancha se quitan pasando por encima el jugo de media cebolla.

MANCHAS EN EL SOFÁ O LA ALFOMBRA

Cubre las manchas con yogurt natural y déjalo secar. Al cabo de unas horas cepíllalo bien y pásale la aspiradora para quitar los restos de yogurt.

MANCHAS DE SALSA DE TOMATE

Antes que nada, intenta quitar todo el tomate que puedas, de fuera hacia adentro de la mancha, con cuidado de no hacerla más grande. Pon la parte manchada bajo el grifo de agua fría y lava la parte afectada con un poco de jabón para lavar platos a mano. El jugo de limón también suele funcionar. Enjuágalo y lávalo normalmente.

MANCHAS DE SUDOR

Pon la prenda a remojar con un chorrito de vinagre blanco.

MANCHAS DE GRASA

En cuanto te caiga una gota de aceite o de grasa en la ropa, cubre la mancha con polvos de talco y déjalo así durante un par de horas. Después tápalo con papel higiénico y plánchalo

por encima del papel higiénico a baja temperatura.

MANCHAS DE SANGRE

Moja un trapo con agua oxigenada y frota la mancha.
La pasta de dientes también funciona bastante bien para quitar manchas de sangre y de fruta.

MANCHAS DE VINO TINTO

Cubre la mancha con vino blanco. Déjalo unas horas y después lava con agua y jabón.

Trucos y productos de limpieza caseros

Los productos de limpieza pueden ser muy caros y no siempre son muy efectivos. Prueba estos productos de fabricación casera con resultados garantizados.

PARA LIMPIAR CRISTALES

Empapa un trapo con vinagre blanco y pásalo por la superficie.

Otra mezcla casera que funciona muy bien es: un cuarto de litro de alcohol, un cuarto de litro de amoníaco y medio litro de agua.

PARA LIMPIAR LA BAÑERA

Calienta vinagre blanco y espárcelo por las paredes de la bañera. Frota después con un paño seco. La bañera volverá a brillar.

PARA LIMPIAR TAPICERÍAS

Mezcla bicarbonato a partes iguales con detergente de lavadora. Espolvorea la mezcla sobre la tapicería. Pasada media hora, cepilla y pásale la aspiradora.

PARA LIMPIAR ALPACA

Sumerge los cubiertos de alpaca en leche durante media hora y después lávalos con agua fría.

PARA LIMPIAR JOYAS

Mete las joyas en un cazo con agua hirviendo, un chorrito de jabón para lavar platos a mano y un chorro de amoníaco durante 15 minutos. Enjuaga con agua tibia.

PARA SACAR BRILLO A LAS JOYAS

Cepíllalas con un cepillo de dientes de cerdas muy finas, usando un poco de pasta de dientes. Después, lávalas con agua caliente.

PARA LIMPIAR MUÑECOS DE PELUCHE

Casi todos los muñecos de peluche se pueden meter en la lavadora en el ciclo de ropa delicada. Para protegerlos, ponlos dentro de la funda de una almohada.

PARA EL PISO DE MADERA

Lo mejor para el piso de madera es limpiarlo con agua mezclada con un buen chorro de vinagre blanco.

PARA LIMPIAR LOS MUEBLES

Prueba a hacer este producto casero: en una botella con vaporizador, añade una taza de aceite de oliva y media taza de jugo de limón. Mézclalo bien. Pon un poco de la mezcla en un trapo seco y espárcela por el mueble. Después saca brillo con el lado seco del trapo. Antes de usarlo, prueba el producto en un sitio poco visible para comprobar que no dañe el acabado.

Hay muchos remedios caseros para combatir esas plagas tan desagradables de insectos repugnantes. A continuación pongo algún remedio que me han contado mis amigos o he leído en alguna revista o en Internet, pero hay muchos más. Si tú tienes tus propios trucos, anótalos en las últimas páginas de este libro.

MOSQUITOS

Para evitar picaduras de mosquitos, frótate los brazos y las piernas con una toallita con suavizante de secadora.

A los mosquitos no les gustan ciertas plantas como las caléndulas, la citronela y la hierba de limón o limoncillo. Plántalas por tu jardín o ten unas macetas en tu casa y verás cómo reduces el número de mosquitos.

HORMIGAS

- Si quieres que las hormigas no pasen o no entren en un sitio, haz una raya con una tiza por donde quieras cortarles el paso. ¡Y verás lo que pasa!

- Pon montoncitos de harina de maíz donde veas que haya hormigas. Las hormigas se la comen y se la llevan a su nido, pero se mueren porque no la pueden digerir. Este método tarda alrededor de una semana en hacer efecto, pero no es peligroso para los niños ni las mascotas.

- Otro truco que suele funcionar es poner pimienta de cayena, los restos del café molido o canela en la tierra.

- Para eliminar las hormigas de un patio, pon dientes de ajo en las rendijas de las baldosas del patio.

MOSCAS

En lugar de ir corriendo por toda la casa con el matamoscas, échales un poco de *spray* fijador de pelo. Ya verás cómo caen, nunca mejor dicho, como moscas.

Puedes poner por la casa unos saquitos con hojas de menta machacadas. No sólo repelen las moscas sino que además dan muy buen olor.
Dicen que si llenas de agua unas bolsas de sándwich de plástico y las cuelgas, las moscas se van. Por lo visto ven su reflejo en la bolsa y no les gusta nada. La verdad es que no he podido entrevistar a ninguna mosca para verificarlo.

CUCARACHAS

Para deshacerte de esas espantosas cucarachas puedes hacer la siguiente mezcla: dos partes de harina, una de ácido bórico y una de cacao. Espolvoréala por debajo de los gabinetes, debajo del lavabo y alrededor de los inodoros. OJO: Esta mezcla es tóxica y se debe mantener fuera del alcance de los niños. No lo hagas si tienes niños o mascotas en casa.

Hay personas que también recomiendan echar dos tazas de amoníaco en el agua de fregar.

En el caso de las cucarachas, que suelen ser resistentes a todo tipo de productos, te recomiendo que también consideres recurrir a un profesional. Los exterminadores pueden fumigar toda tu casa con productos que no se venden en las tiendas normales y darte las recomendaciones más expertas. A veces, si el problema es grande resulta más económico recurrir a un profesional desde el principio que comprar miles de insecticidas o utilizar remedios caseros.

Trucos para la cocina

Antes de llamar al fontanero o comprar utensilios nuevos de cocina, prueba estos trucos.

PARA DESATASCAR EL FREGADERO

Cuando el agua del fregadero baja muy despacio, echa 1/2 o 3/4 de taza de bicarbonato sódico por el desagüe y después echa agua caliente, suficiente para que baje el bicarbonato. Deja que haga efecto durante dos horas y, después, abre el grifo de agua caliente durante un buen rato.

OLLAS QUEMADAS

Echa un chorro de vinagre blanco sobre la zona quemada y ponlo a hervir. Después enjuágalo con agua templada. ¡Quedan como nuevas!

CUBIERTOS DE MADERA

Si los cubiertos de madera tienen aspecto viejo, sumérgelos durante un día en un litro de agua con 6 cucharadas de agua oxigenada o unas gotas de lejía. Al día siguiente enjuaga con agua fría abundante.

Aumenta tus Ingresos

Ideas para ganar más dinero

¿No te gustaría tener más dinero y vivir tranquilamente sabiendo que no sólo tienes todas las necesidades cubiertas sino que además te puedes permitir algún lujo de vez en cuando? Puede que no nos guste, pero el dinero es importante y desgraciadamente no llueve del cielo ni crece en los árboles (aunque no estaría nada mal...).

Si quieres tener más ingresos al mes, debes analizar todas tus opciones, combatir la pereza de empezar un proyecto nuevo, trazar un plan y ponerte en acción.

Saca provecho a tus cualidades, piensa en todas las cosas que sabes hacer, lo que te gusta y lo que se te da bien y el tiempo que podrías dedicar a nuevas actividades. Aquí tienes varias sugerencias.

Vende tus artesanías

Si eres aficionada y dedicas tiempo a la pintura, el dibujo, la cerámica o a hacer cualquier otro tipo de manualidad, piensa en la posibilidad de vender tus artesanías o tus obras de arte.

Puedes organizar tu propia exposición en casa y empezar invitando a tus amigos. A veces, en las ferias de los pueblos, te permiten poner tu propio puesto o puedes hablar con alguien que tenga un puesto y pedirle que ofrezca tus trabajos en consignación.

Busca trabajo en una tienda para los fines de semana

Muchas tiendas necesitan más dependientes durante los fines de semana porque es cuando tienen más clientela. Visita las tiendas que te gustan en el centro comercial, como la tienda de artículos de cocina o la de deportes, y pregunta si necesitan ayuda. La mejor época para hacer esto es en los meses antes de Navidad.

Haz horas extra en la oficina

Habla con tu jefe o tu jefa. Dile que estarías interesada en participar en algún trabajo extra. Sé sincera. Explícale que te interesaría tener más ingresos, pero no te olvides de comentar que también quieres tener más experiencia en el trabajo. No sólo puedes conseguir que te aumenten de sueldo sino que además tu jefe se quedará impresionado con tu interés en la empresa.

Vende las cosas que no necesitas

Si vives en una casa con un sótano grande, seguro que tienes acumulados veinte mil trastos que hace años que no usas: esa bicicleta estática con la que ibas a hacer ejercicio todos los días, los patines que no te pones hace diez años, la cuna de tu hijo que ahora está en la universidad...

¿Para qué sigues guardando todo eso? ¡Véndelo! Organiza la típica *"venta de* ***garage****"* y deshazte de todo lo que no usas o te sobra.

Cuida niños

Trabaja de *babysitter*. Acuérdate de que si los padres no te conocen bien, van a pedir referencias y les tienes que dar el nombre y el teléfono de alguien que te conozca y pueda decirles que eres una persona de confianza.

Haz un cartel para ofrecer tus servicios. En la parte de abajo del cartel pon tiras con tu nombre y número de teléfono, para que la gente las pueda arrancar y llevárselas. En muchos colegios tienen un sitio en la pared con un pizarrón donde la gente puede anunciar sus servicios o poner carteles para buscar ayuda.

Da clases

¿Eres una experta cocinera? ¿Dominas algún programa de la computadora? ¿Tienes algún libro publicado? ¿Sabes algún idioma a la perfección? Si es así, puedes dar clases y compartir tu sabiduría. Nunca subestimes tus conocimientos. Hay mucha gente a la que le gustaría saber lo que tú sabes y están dispuestas a pagar por ello.
En EEUU, por ejemplo, hay una gran demanda de profesores de español.

Cuida perros o sácalos a pasear

Los dueños de perros tienen el problema de que si trabajan todo el día, no pueden sacar a sus mascotas a pasear y, si se van de vacaciones, tienen que pagar un hotel de perros, que suele ser muy caro.

Si te gustan los perros, ofrece cuidar a un perro mientras sus dueños estén de vacaciones o sacarlo a pasear durante la semana. No sólo les harás un gran favor, sino que además harás ejercicio y ganarás un dinero extra.

Haz arreglos de ropa

Cada vez son más las personas que no saben coser ni un botón y a las que la idea de coser un dobladillo, o cambiar un cierre les suena a ingeniería genética.

Sin embargo, seguro que tienen un montón de ropa que necesita arreglos y estarían encantadas de pagar a alguien para que se los haga. Otro de los grandes negocios para las personas que saben coser es hacer cortinas. Antes de ofrecerte a hacer una cortina para alguien, averigua los precios que se pagan por las cortinas hechas a medida. ¡Son verdaderas fortunas!

Invierte
en ti
Misma

Invierte en ti misma

Si después de hacer todo lo posible por ahorrar y no malgastar el dinero, ves que te cuesta mucho trabajo llegar a fin de mes o que con tu sueldo no eres capaz de darte ningún capricho de vez en cuando o, lo que es mucho más importante, no consigues ahorrar lo suficiente como para asegurarte una buena jubilación o poder pagar la universidad de tus hijos o tener fondos para una posible emergencia médica, tienes que sentarte a pensar seriamente en las medidas que debes tomar para cambiar esa situación.

Una de las mejores cosas que puedes hacer es invertir en ti misma. Estudia, investiga, prepárate y trata de obtener la experiencia necesaria para aspirar a un buen trabajo, bien remunerado.

No importa a qué nivel de estudios hayas llegado, aunque tengas un doctorado o no hayas acabado la escuela secundaria, siempre puedes aprender más. Como dice el refrán: para aprender y tomar consejo nunca se es viejo.

Aquí tienes varias ideas.

No sólo ahorrarás un montón de dinero al cortar el pelo de todos los miembros de tu familia (o por lo menos de todos los que se dejen), sino que puedes empezar a buscar tu propia clientela o incluso encontrar un trabajo en una peluquería.

Aprende a usar la computadora

Si la computadora todavía te intimida y ni siquiera sabes usar el correo electrónico, tienes que cambiar esa situación inmediatamente. Hoy en día, saber usar una computadora no es un lujo, es una necesidad. Son muy pocos los trabajos que no requieren el uso de computadoras de una manera u otra.
En muchas escuelas superiores *(High Schools)* se ofrecen cursos de computación básica a precios muy asequibles. No dejes pasar más tiempo. ¡Apúntate ya!

Apúntate a un curso de cocina

Comer bien está de moda. Cada vez se aprecian más las buenas comidas y la gastronomía de otros países. Por todo el país se están abriendo supermercados *gourmet* para los gustos más exquisitos y tiendas de utensilios de cocina.

Aprovecha la tendencia. Si te gusta cocinar, aprende nuevas recetas o platos con los que nunca has experimentado. A lo mejor se te dan muy bien los postres, pero no sabes preparar el pescado o quieres aprender otras variedades de aperitivos.
¿Quién sabe? Pronto podrías abrir tu propio negocio de *catering*.

Chiste

—Carlos, ¿tú rezas antes de comer?
—No; mi madre cocina muy bien.

Estudia un master o un curso de postgrado

Dicen que el saber no ocupa lugar. Un título universitario te abrirá muchas puertas a la hora de buscar trabajo, pero un master o un curso de especialización te abrirá muchas más.

Muchas universidades ofrecen cursos por la noche para personas que trabajan. Salir de trabajar e ir a clases requiere un verdadero esfuerzo, pero merece la pena.

Si tienes un título universitario pero hace tiempo que no trabajas, antes de entrar en el mundo laboral, es buena idea hacer un curso recordatorio o un curso de postgrado para ponerte al día y demostrar a la hora de escribir el currículum que no te has quedado atrás.

Aprende idiomas

Casi todos hemos estudiado inglés u otro idioma en el colegio. Seguro que recuerdas la lista de los verbos irregulares: ***be was been, begin began begun…*** y que chapurreas alguna palabra en inglés o incluso tienes un nivel bastante bueno. Pero aquí entre nosotras, ¿realmente dominas el inglés? Si no es así, apúntate a clases. Si sólo hablas español, tus oportunidades de trabajo son muy limitadas. Es más, en muchas empresas, si no hablas bien inglés, te va a resultar muy difícil ascender la escalera corporativa.

Si eres totalmente bilingüe, piensa en aprender un tercer idioma. *Il serait magnifique!*

Más Ideas
y Trucos

Chistes

—Oye, ¿tú dominas el inglés?
—Bueno, si es bajito y se deja…

¿Cómo se dice cabello sucio en chino?
Chin Champú

¿Cómo se dice suegra en ruso?
Storva

¿Cómo se dice llueve en alemán?
Gotascaen

¿Cómo se dice café amargo en japonés?
Takara Lazucar

Más ideas

Más ideas

Más ideas

Más trucos

Más trucos

Más trucos

Más trucos

Nota de la autora

Querida lectora:

Ahora que has leído este libro, espero que te haya resultado útil y entretenido ¡porque esa era mi intención! Puedes completarlo añadiendo tus propias ideas en las últimas páginas.

¡Me encantaría oír tu opinión! Si quieres enviarme cualquier comentario, idea, compartir tus propias ideas de ahorro y trucos caseros o simplemente mandarme un mensaje para decir “hola”, me puedes enviar un correo electrónico a ana@anagalan.com. No hay nada mejor para una autora que poder estar en contacto directo con sus lectores y saber qué opinan de sus libros.

Nos vemos en el siguiente libro.

Atentamente,

Ana